W9-BOF-704

FALANDO...
LENDO...
ESCREVENDO...
PORTUGUÊS

Um Curso Para Estrangeiros

Primeira edição 1981
Primeira à sétima reimpressão 1982-1986
Segunda edição revista 1987
Sétima reimpressão da edição revista 1992

CIP-Brasil, Catalogação-na-Fonte
Câmara Brasileira do Livro, SP

L697f Lima, Emma Eberlein O. F.
Falando... lendo... escrevendo: português: um curso para estrangeiros/Emma E. O. F. Lima, Samira A. Iunes. — São Paulo: EPU, 1981.

1. Português — Estudo e ensino — Estudantes estrangeiros I. Iunes, Samira A. II. Título.

81-0919 CDD—469.824

Índices para catálogo sistemático:

1. Português para estrangeiros 469.824

Emma Eberlein O. F. Lima
Samira A. Iunes

FALANDO... LENDO... ESCREVENDO...

PORTUGUÊS

Um Curso Para Estrangeiros

E.P.U. EDITORA PEDAGÓGICA E UNIVERSITÁRIA LTDA.

Ilustrações: Luis Díaz

A estória "O carrinho" (págs. 243 e 244) foi retirada da revista Mônica com autorização da Editora Abril. O autor da estória é Maurício de Souza.

ISBN 85-12-54010-9

E.P.U. — Rua Joaquim Floriano, 72 — 6º andar — salas 65/68 (Ed. São Paulo Head Offices) — CEP 04534-000 — Tel. (011) 829-6077 — Fax. (011) 820-5803 — C.P. 7509 — Cep 01064-970 — São Paulo — SP
Impresso no Brasil Printed in Brazil

Sumário

Prefácio

A presente obra foi elaborada com a intenção de proporcionar a um público estrangeiro um método ativo, situacional, para a aprendizagem da língua portuguesa, visando à compreensão e expressão oral e escrita, em nível de linguagem coloquial.

O livro destina-se a adultos e a adolescentes, na faixa etária de nossos alunos de 2º Grau, de qualquer nacionalidade.

Segundo este ponto de vista, os textos e exercícios foram criados a partir de centros de interesse de ordem familiar, profissional e social, permitindo uma assimilação rápida das estruturas apresentadas. O vocabulário, essencialmente ativo, apresenta, igualmente, expressões lexicais que permitem manter diálogos ligados aos centros de interesse imediato do aluno. Aspectos culturais, históricos e geográficos do Brasil são transmitidos através de textos narrativos.

As noções gramaticais aparecem de maneira concreta e concisa, inseridas no corpo dos textos principais de cada unidade ou sob forma de pequenos diálogos, vivos e rápidos. A progressão é ativa, porque foi orientada, não só pelo nível de dificuldade, mas também pela urgência e necessidade do problema gramatical. O verbo e sua regência são desenvolvidos lenta, firme e constantemente.

Grande número de exercícios estruturais, de complementação, repetição, substituição e transformação, além de exercícios de redação dirigida e livre, foram elaborados a fim de auxiliarem na fixação das estruturas gramaticais.

Este livro, um curso completo em si, fornece conhecimentos da língua portuguesa em nível básico, levando o aluno a falar, ler e escrever, ao mesmo tempo que o capacita para a continuação de seu aprendizado.

As autoras

Unidade 1

Como vai?

Engenheiro: —Bom dia!
Diretor: —Bom dia! Como vai o senhor?
Engenheiro: —Bem, obrigado. E o senhor?
Diretor: —Bem, obrigado. Sente-se, por favor. O senhor é o novo engenheiro?
Engenheiro: —Sou, sim.
Diretor: —Como se chama?
Engenheiro: —Tomás Lima.
Diretor: —De onde o senhor é?
Engenheiro: —Sou de Ouro Preto, mas moro em São Paulo.
Diretor: —O senhor mora no centro da cidade?
Engenheiro: —Não, moro na Avenida Paulista. Aqui estão meus documentos.
Diretor: —Ótimo. Está tudo em ordem. O senhor começa hoje mesmo. Boa sorte!

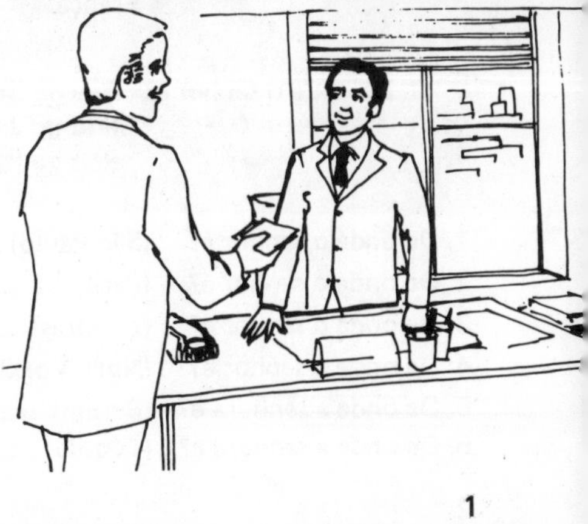

Apresentação

João: — Sr. Oliveira, este é meu amigo Antônio da Silva.
Sr. Oliveira: — Muito prazer.
Antônio da Silva: — Muito prazer.

A. O senhor <u>é</u> engenheiro? Sou, sim.

1. O senhor ________ diretor? Sou , ________.
2. O senhor ________ médico? ______ , ________.
3. O senhor ________ professor? ______ , ________.
4. O senhor ________ brasileiro? ______ , ________.
5. O senhor ________ americano? ______ , ________.
6. Você ________ estudante? ______ , ________.
7. Você ________ secretária? ______ , ________.
8. Você ________ brasileiro? ______ , ________.

B. O senhor <u>é</u> engenheiro? Não, não sou.

1. O senhor ________ diretor? Não , ________ ________.
2. O senhor ________ médico? ______ , ________ ________.
3. O senhor ________ professor? ______ , ________ ________.
4. O senhor ________ brasileiro? ______ , ________ ________.
5. O senhor ________ americano? ______ , ________ ________.
6. Você ________ estudante? ______ , ________ ________.
7. Você ________ secretária? ______ , ________ ________.
8. Você ________ brasileiro? ______ , ________ ________.

Brasília	Sou *de* Brasília.
o Brasil	Sou *do* Brasil.
a França	Sou *da* França.

C. De onde o senhor é? Sou <u>de</u> Belo Horizonte.
Sou <u>do</u> Japão.
Sou <u>da</u> Itália.

1. De onde o senhor é? (São Paulo) ____________________.
2. De onde o senhor é? (Paris) ____________________.
3. De onde o senhor é? (Londres) ____________________.
4. De onde o senhor é? (Nova York) ____________________.
5. De onde a senhora é? (Berlim) ____________________.
6. De onde a senhora é? (Tóquio) ____________________.

7. De onde você é? (o Japão) ______________________.
8. De onde você é? (o Brasil) ______________________.
9. De onde você é? (a Itália) ______________________.
10. De onde o senhor é? (o México) ______________________.
11. De onde a senhora é? (a França) ______________________.
12. De onde a senhora é? (o Rio de Janeiro) ______________________.
13. De onde você é? (Roma) ______________________.
14. De onde você é? (Santos) ______________________.
15. De onde você é? (o Canadá) ______________________.

em Brasília	Moro *em* Brasília.
no Brasil	Moro *no* Brasil.
na França	Moro *na* França.

D. Onde o senhor mora? Moro <u>em</u> Belo Horizonte.
<u>no</u> Rio de Janeiro.
<u>na</u> Avenida Paulista.

1. Onde o senhor mora? (Copacabana) ______________________.
2. Onde o senhor mora? (São Paulo) ______________________.
3. Onde o senhor mora? (a Itália) ______________________.
4. Onde a senhora mora? (a Europa) ______________________.
5. Onde a senhora mora? (a Rua Augusta) ______________________.
6. Onde você mora? (o Chile) ______________________.
7. Onde você mora? (o Brasil) ______________________.
8. Onde você mora? (o México) ______________________.
9. Onde o senhor mora? (Munique) ______________________.
10. Onde a senhora mora? (Washington) ______________________.

Onde?

—Teresa, onde estão os livros?
—Estão no armário do escritório.
—E onde estão as chaves da porta?
—Estão no carro.
—E onde estão as chaves do carro?
—Estão na gaveta da mesa.
—E onde está a carteira?
—Está no bolso do paletó.
—E onde estão meus óculos?
—Adivinhe!

os — dos — nos   *Os* livros *dos* engenheiros estão *nos* armários.
as — das — nas   *As* chaves *das* portas estão *nas* gavetas.

A. Onde estão os livros dos médicos? Estão no armário do consultório.

1. (a secretária) Onde está a secretária?
   (a sala/o presidente) Está na sala do presidente.
2. (o engenheiro) ______________________?
   (o escritório/o Rio de Janeiro) ______________________.
3. (o professor/inglês) ______________________?
   (o escritório/o engenheiro) ______________________.
4. (o dinheiro/a firma) ______________________?
   (o cofre/o banco) ______________________.
5. (o cliente) ______________________?
   (o consultório/o médico) ______________________.
6. (o dinheiro) ______________________?
   (a carteira/o professor) ______________________.
7. (o engenheiro/a França) ______________________?
   (o hotel/a avenida) ______________________.
8. (o paletó/o médico) ______________________?
   (o armário/o consultório) ______________________.
9. (os clientes) ______________________?
   (o escritório/Paris) ______________________.
10. (os óculos/o diretor) ______________________?
    (o bolso/o paletó) ______________________.
11. (as chaves/o carro) ______________________?
    (o armário/o diretor) ______________________.
12. (os planos/as fábricas) ______________________?
    (o escritório/Nova York) ______________________.
13. (as cartas/os estudantes) ______________________?
    (o hotel/a avenida) ______________________.
14. (as chaves/as portas) ______________________?
    (os armários/as secretárias) ______________________.
15. (os documentos/os engenheiros) ______________________?
    (as gavetas/as mesas) ______________________.

—Vocês moram aqui no Rio?
—Não. Somos mineiros e moramos em Belo Horizonte. Estamos aqui em férias.

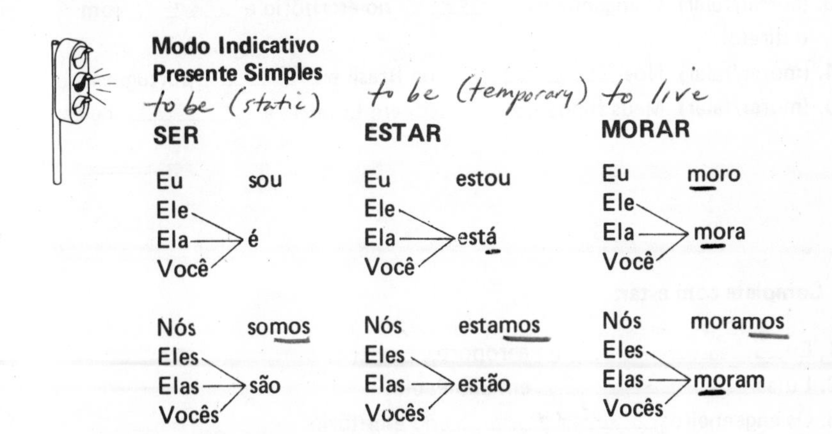

Modo Indicativo
Presente Simples

SER		ESTAR		MORAR	
Eu	sou	Eu	estou	Eu	moro
Ele / Ela / Você	é	Ele / Ela / Você	está	Ele / Ela / Você	mora
Nós	somos	Nós	estamos	Nós	moramos
Eles / Elas / Vocês	são	Eles / Elas / Vocês	estão	Eles / Elas / Vocês	moram

A. Complete com ser:

1. Nós __________ paulistas e elas __________ cariocas.
2. Nossos amigos __________ americanos.
3. As praias desta cidade __________ bonitas.
4. Eu __________ brasileiro e ele __________ francês.
5. Vocês __________ as novas secretárias? Sim, __________ .
6. Carlos e José __________ amigos.
7. O Rio de Janeiro __________ famoso.
8. Ele não __________ nosso amigo.
9. O senhor __________ o diretor da firma? __________, sim.
10. Ela __________ muito bonita.

B. Complete:

1. (morar) Você ________ em São Paulo? ________, sim.
2. (morar) Vocês não ________ no Brasil?
3. (morar) Nós ________ no campo.
4. (morar) A senhora ________ aqui?
5. (morar) Eu não ________ em apartamento.
6. (morar) Nossos amigos ________ na Espanha.
7. (falar) Ele ________ inglês e alemão.
8. (falar) O senhor ________ francês.
9. (entrar) Nós ________ no escritório do engenheiro.
10. (entrar) A secretária ________ na sala do engenheiro.
11. (entrar) Eu ________ no banco.
12. (entrar) Eles ________ no consultório do médico.
13. (entrar/falar) O engenheiro ________ no escritório e ________ com o diretor.
14. (morar/falar) Nós ________ no Brasil e ________ português.
15. (morar/falar) Meus filhos ________ em Londres e ________ inglês.

C. Complete com estar:

1. Eu ________ no aeroporto.
2. Luísa ________ em São Paulo.
3. Os engenheiros ________ no escritório.
4. O médico ________ no consultório.
5. O dinheiro ________ no cofre.
6. Vocês ________ na fábrica.
7. Você ________ no consultório.
8. O livro ________ no armário.
9. Nós ________ na praia e eles ________ na montanha.
10. Helena ________ em Nova York, mas Teresa e Ana ________ em Paris.
11. Eu ________ aqui.
12. Os planos ________ na firma.
13. Nós ________ em São Paulo.
14. As chaves ________ no carro.
15. A chave ________ na porta.

D. Onde está o diretor? Está na fábrica.

1. ______________________? Está no banco.
2. ______________________? Está na praia.
3. ______________________? Estou aqui.
4. ______________________? Estamos aqui na sala.
5. ______________________? Está no consultório.

E. O dinheiro está no banco? Não, não está. Está na firma.

1. ______________________? Não, não está. Está no Japão.
2. ______________________? Não, não estamos. Estamos na fábrica.
3. ______________________? Não, não está. Está no consultório.
4. ______________________? Não, não estão. Estão no escritório.
5. ______________________? Não, não está. Está na gaveta da mesa.

Texto Narrativo — No aeroporto

Estamos no Aeroporto do Rio de Janeiro. Gostamos muito desta cidade. O Rio de Janeiro é uma cidade bonita, com muitas praias e montanhas. Nossos amigos, Paulo e Luísa, são cariocas e moram aqui.
Ele é engenheiro e ela é secretária de uma firma de importação e exportação.
Nós somos paulistas e moramos em São Paulo, uma cidade industrial.

* **A. A cada imagem corresponde uma frase. Qual é?**

- Nós estamos na sala de televisão.
- Adivinhe!
- O filme começa às 8 horas.
- Ela entra no escritório às 8 horas.
- Eles moram na praia.
- Os documentos estão na bolsa.

Nós estamos na sala de televisão

Eles moram na praia

O filme começa às 8 horas

Os documentos estão na bolsa.

Adivinhe!

Ela entra no escritório às 8 horas.

B. Complete o diálogo. Use você.

Tomás: Olá
Luís: —Bom dia!
Tomás: Como vai você?
Luís: —Bem, obrigado. E você?
Tomás: Muito bem, obrigado
Luís: —De onde você é?
Tomás: Sou de Boston. E você?
Luís: —Sou de Porto Alegre.
Tomás: Onde você mora?
Luís: —Moro na Rua Augusta. E você?
Tomás: Moro na Avenida Chapman.
Luís: —É bonito lá.
Tomás: Você é un artista?
Luís: —Não, não sou. Sou médico. E você?
Tomás: Sou engenheiro.
Luís: —O novo engenheiro da firma?
Tomás: Sim
Luís: —Boa sorte!

Ditado

Os textos dos ditados estão no fim deste livro.
Eles serão feitos pelo seu professor.
Se você for auto-didata, utilize o ditado gravado em fita cassette.

Unidade 2

A cidade

Paulo: —Venha comigo. Quero mostrar a cidade.

João: — Para onde vamos primeiro?

Paulo: —Vamos para o centro. Há um ponto de ônibus ali na esquina.

João: —Temos tempo. Vamos a pé. Gosto de andar.

Paulo: —Esta é a parte velha da cidade. Aqui, nesta calçada, é o Correio e ali é a Prefeitura.

Paulo: —Lá, na outra calçada, é a Estação Rodoviária.

João: —Estes prédios são antigos. Gosto deles. Minha mulher e meu filho também gostam de casas antigas.

Paulo: —Há uma Estação Rodoviária nova no subúrbio. Ela tem quatro andares e é moderna.

João: —O aeroporto desta cidade também é moderno?

Paulo: —É, sim. Tem cinco anos.

Pedindo uma informação

—Uma informação, por favor. Vou à cidade e quero tomar o ônibus.

—É fácil. Há um ponto de ônibus bem ali na esquina.

—Obrigada.

Um engenheiro
Uma secretária

A. Complete com um, uma:

1. Há ________ chave e ________ documento na gaveta.
2. Temos ________ amigo em Tóquio. Ele tem ________ fábrica.
3. Nesta avenida há ________ hotel e ________ Estação Rodoviária.
4. Meu médico tem ________ consultório moderno.
5. Nesta sala há ________ armário e ________ mesa.

Modo Indicativo
Presente simples

IR

Eu	vou	Nós	vamos
Ele / Ela / Você	vai	Eles / Elas / Vocês	vão

B. Para onde vamos? Vamos para o centro.

1. (Brasília) Para onde vamos? ________________.
2. (o aeroporto) Para onde vamos? ________________.
3. (a Estação Rodoviária) Para onde vamos? ________________.
4. (o ponto de ônibus) Para onde ele vai? ________________.
5. (a França) Para onde Antônio vai? ________________.
6. (o escritório) Para onde você vai? ________________.
7. (a fábrica) Para onde eles vão? ________________.
8. (Belo Horizonte) Para onde eu vou? ________________.
9. (o Canadá) Para onde vamos? ________________.
10. (Copacabana) Para onde vocês vão? ________________.
11. (o consultório) Para onde os médicos vão? ________________.
12. (São Paulo) Para onde Paulo e Luísa vão? ________________.
13. (o hotel) Para onde Luís vai? ________________.
14. (o Correio) Para onde você vai? ________________.
15. (a Prefeitura) Para onde vamos? ________________.

C. Complete com <u>ir</u>:

João, meu marido, ______ para o escritório e eu ______ para o banco. Meus filhos ______ para a escola. Ao meio-dia nós ______ para casa. Hoje João não ______ para o escritório. Ele e eu ______ para o Rio de Janeiro.

ir
- a pé
- de ônibus
- de carro
- de táxi
- de trem
- de avião
- de navio

D. Eu vou de ônibus para a cidade.

1. (táxi) Eu ______ ______ ______ para o centro.
2. (avião) Você ______ ______ ______ para Recife.
3. (carro) Nós ______ ______ ______ para a fábrica.
4. (trem) Luísa ______ ______ ______ para casa.
5. (avião) Paulo e Luísa ______ ______ ______ para o Rio.
6. (a pé) Nós ______ ______ ______ para a escola.
7. (ônibus) Você ______ ______ ______ para o escritório.
8. (táxi) Eu ______ ______ ______ para o banco.
9. (a pé) Eles ______ ______ ______ para o Correio.
10. (carro) Tomás ______ ______ ______ para a Prefeitura.
11. (táxi) O senhor ______ ______ ______ para casa.
12. (ônibus) A secretária ______ ______ ______ para a firma.
13. (trem) Hoje eu não ______ ______ ______ para Santos.
14. (avião) Ela não ______ ______ ______ para Paris.
15. (navio) Vocês não ______ ______ ______ para os Estados Unidos.

Há uma secretária *neste* escritório.
Há uma chave *nesta* gaveta.
Há muitos engenheiros *nestes* prédios.
Há muitas casas *nestas* praias.

E. Há um ponto de ônibus nesta esquina.

1. (médico/consultório) ________________.
2. (aeroporto/cidade) ________________.
3. (posto de gasolina/esquina) ________________.
4. (quinze dólares/gaveta) ________________.
5. (farmácia/calçada) ________________.
6. (muitos turistas/montanhas) ________________.
7. (médicos/consultório) ________________.

F. Vamos a pé. Gosto de andar.

1. Ele gosta ________ morar no centro.
2. Ela gosta ________ morar em São Paulo.
3. Nós gostamos ________ ir a pé.
4. Vocês não ________ ________ falar inglês.
5. Você ________ ________ falar.
6. Eu não ________ ________ morar na praia.
7. Meus amigos ________ ________ morar em Belo Horizonte.
8. Minha filha ________ ________ visitar museus.
9. Meu marido não ________ ________ mostrar a cidade.
10. Você ________ ________ cerveja?
11. Eu ________ ________ livros antigos.
12. Nós ________ ________ casas antigas.
13. Eles ________ ________ cidades grandes.
14. Ela ________ ________ casas modernas.
15. Meus filhos ________ ________ prédios modernos.

G. Estes prédios são antigos. Gosto deles. Estas casas são modernas. Gosto delas.

1. Estas casas são antigas. Gosto ________.
2. Esta cidade é antiga. ________ ________.
3. Este aeroporto é moderno. ________ ________.
4. Estas mesas são modernas. ________ ________.
5. Esta carteira é nova. ________ ________.
6. Meu carro é novo. ________ ________.

7. Meus amigos são médicos. __________ __________.
8. Esta secretária é nova. __________ __________.
9. Minha casa é grande. __________ __________.
10. Meus livros são antigos. __________ __________.

H. Gosto do aeroporto de Paris.
Gosto da parte velha da cidade.

1. Gostamos __________ casa da praia.
2. Você gosta __________ filha __________ diretor?
3. Nós gostamos __________ prédio __________ Correio.
4. Eu gosto __________ livro de português.
5. Ela gosta __________ filho __________ diretor.
6. Eles gostam __________ prédio novo.
7. Vocês gostam __________ praias brasileiras.
8. Este diretor não gosta __________ secretária.
9. Ela não __________ __________ Estação Rodoviária antiga.
10. Estes engenheiros não __________ __________ meus planos.
11. Nós não __________ __________ prédio __________ Prefeitura.
12. Meus amigos __________ muito __________ casa nova.
13. Meu amigo __________ muito __________ praias do Rio.
14. Eu __________ muito __________ amigos do meu filho.
15. Os paulistas __________ muito __________ metrô

I. O aeroporto desta cidade é antigo.

1. Os clientes __________ firma são americanos.
2. As calçadas __________ cidade são velhas.
3. Os documentos __________ engenheiro estão na gaveta.
4. A chave __________ gaveta está na mesa.
5. A porta __________ sala está aberta.
6. Eles gostam __________ prédio.
7. Minha amiga gosta __________ livro.
8. As praias __________ cidade são famosas.
9. Eu gosto do diretor __________ firma.
10. Gostamos da secretária __________ engenheiro.

* write something about the weekend

Modo Indicativo
Presente Simples to have

tearje **TER**

Eu	tenho	Nós	temos
Ele / Ela / Você	tem (tãne)	Eles / Elas / Vocês	têm

same sound

10/1

J. Complete com ter:

1. Eu tenho dinheiro no banco.
2. Esta cidade tem muitos prédios modernos.
3. O Brasil tem muitas cidades antigas.
4. Nosso prédio temos quatro andares. stories
5. Luís e Teresa têm quatro filhos.
6. Você tem tempo?
7. Não, eu não tenho tempo.
8. Estas montanhas têm muitas casas bonitas.
9. O senhor tem sorte.
10. Nós temos um amigo em Recife.
11. Vocês têm livros novos no armário.
12. O Rio de Janeiro tem muitos turistas.
13. A senhora tem dinheiro?
14. Não, eu não tenho dinheiro. Tenho cheque.
15. Nós temos amigos em Porto Alegre.
16. Meu filho tem quatro anos.

10/1 use pronouns

L. Você tem dinheiro?
Não, não tenho dinheiro. Tenho cheque.

1. Ele tem dinheiro? Não, ele não tem dinheiro.
   (cartão de crédito) Ele tem cartão de crédito.
2. Eles têm sorte? Não, eles não têm sorte.
   (azar) Eles têm azar.
3. Nós temos dinheiro no banco? Não, nós não temos dinheiro no banco.
   (dinheiro na firma) Nós temos dinheiro na firma.
4. Vocês têm a chave do carro? Não, eu não tenho a chave do carro.
   (chave da casa) Eu tenho a chave da casa.
5. O médico tem casa na montanha? Não, o médico não tem casa na montanha.
   (casa na praia) Ele tem casa na praia.
6. Os armários têm documentos? Não, os armários não têm documentos.
   (livros) Eles têm livros.

7. Brasília tem prédios antigos? Não, Brasília não tem prédios antigos.
(prédios modernos) Brasília tem prédios modernos.

8. A Estação Rodoviária tem trens? Não, a Estação Rodoviária não tem trens.
(ônibus) Ela tem ônibus.

10/1 each

M. A cada imagem corresponde uma frase. Qual é?

- 1. Eu tenho azar.
- 2. Eles têm muita sorte.
- 3. Ele não tem dinheiro.
- 4. Nós temos muitos filhos.
- 5. Você não tem tempo hoje.
- 6. Ela tem 15 anos.

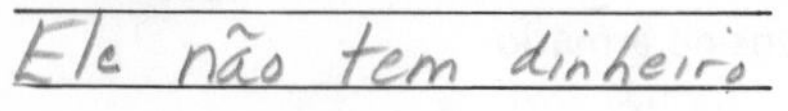

Eles têm muita sorte.

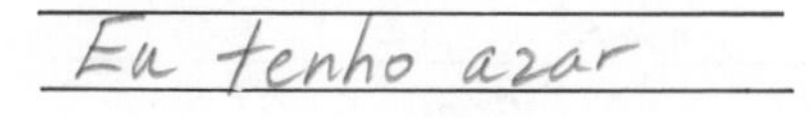

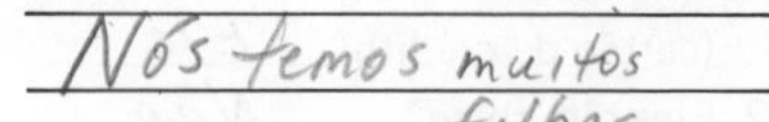

Ela tem quinze anos

Você não tem tempo hoje.

Que azar!

—Ai! Ai! Minha cabeça!
—Ai! Meu pé!
—Que azar! Desculpe!
—Não foi nada.

A. Complete com meu, minha, meus, minhas:

1. ____________ marido e ____________ filha vão para casa a pé.
2. ____________ amiga mora na Avenida Paulista.
3. ____________ filhos estão na outra calçada.
4. ____________ mulher gosta de andar.
5. ____________ filhas vão de ônibus para a escola.
6. ____________ amigos têm tudo em ordem.

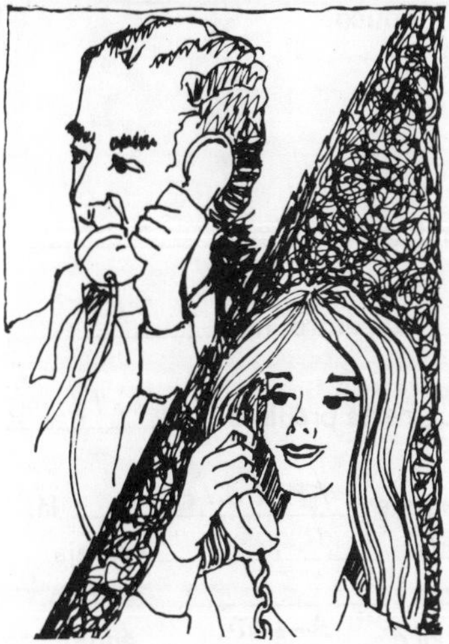

No telefone

—Alô!
—De onde fala?
—Companhia Brasileira de Papéis.
—O senhor Teixeira está?
—Não, não está. Hoje ele está trabalhando no escritório de São Paulo.
—E o doutor Nunes está?
—Está, sim. Mas está atendendo um cliente agora.
—Agora de manhã?
—Sim. Ele sempre atende os clientes de manhã.
—Está bem. Telefono mais tarde. Até-logo.
—Até-logo.

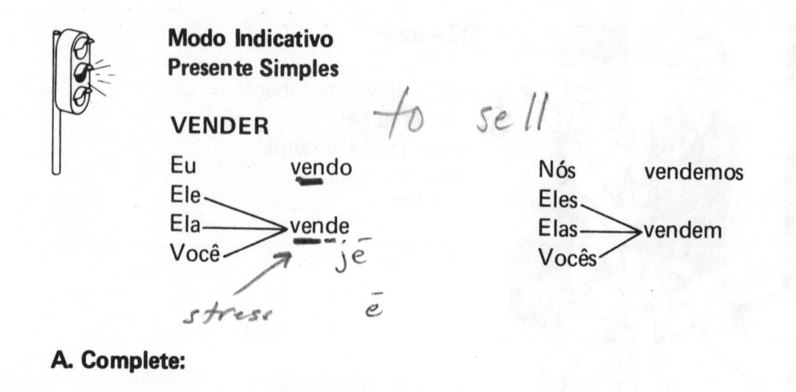

Modo Indicativo
Presente Simples

VENDER

Eu	vendo	Nós	vendemos
Ele / Ela / Você	vende	Eles / Elas / Vocês	vendem

A. Complete:

1. (atender) Eu ___atendo___ meus clientes de manhã.
2. (atender) Ela ___atende___ o telefone.
3. (atender) Eles ___atendem___ a porta.
4. (atender) Nós sempre ___atendemos___ o diretor.
5. (comer) Tomás ___come___ muito.
6. (comer) Tomás e Antônio ___comem___ muito.
7. (beber) Nós não ___bebemos___ cerveja de manhã.
8. (beber) Paulo ___bebe___ muito.
9. (vender) Minha firma ___vende___ prédios.
10. (vender) Eu não ___vendo___ minha casa. Gosto muito dela.
11. (aprender) Você ___aprende___ inglês na escola.
12. (aprender) Vocês não ___aprendem___ japonês na escola.
13. (aprender) Nós ___aprendemos___ português na escola.
14. (escrever) Eu ___escrevo___ muito.
15. (escrever) Ele ___escreve___ pouco.

B. Complete:

1. (morar/trabalhar) João ___mora___ em São Paulo, mas ___trabalha___ em Santos.
2. (morar/trabalhar) Nós ___moramos___ no centro, mas ___trabalhamos___ no subúrbio.
3. (morar/trabalhar) Eles ___moram___ neste prédio e ___trabalham___ nesta fábrica.
4. (morar/trabalhar) Eu ___moro___ aqui e ___trabalho___ lá.
5. (comer/beber) Luís ___come___ pizza e ___bebe___ cerveja.
6. (comer/beber) Nós ___comemos___ pizza e ___bebemos___ vinho.
7. (comer/beber) O senhor ___come___ pizza e ___bebe___ água?

8. (comprar/vender) Nós ________ e ________ carros antigos.
9. (atender/mostrar) As secretárias ________ o telefone e ________ o escritório para os clientes.
10. (andar/comer) Eu ________ muito e ________ pouco.
11. (andar/comer) Você ________ muito e ________ pouco.
12. (trabalhar/andar) Os médicos ________ muito e ________ pouco.
13. (beber/andar) Meu amigo ________ muito e ________ pouco.
14. (andar/mostrar) Nós ________ e ________ a cidade para os turistas.
15. (comprar/vender) A senhora ________ e ________ livros antigos.

Modo Indicativo
Presente Contínuo

MORAR

Eu estou morando
Ele / Ela / Você → está morando

Nós estamos morando
Eles / Elas / Vocês → estão morando

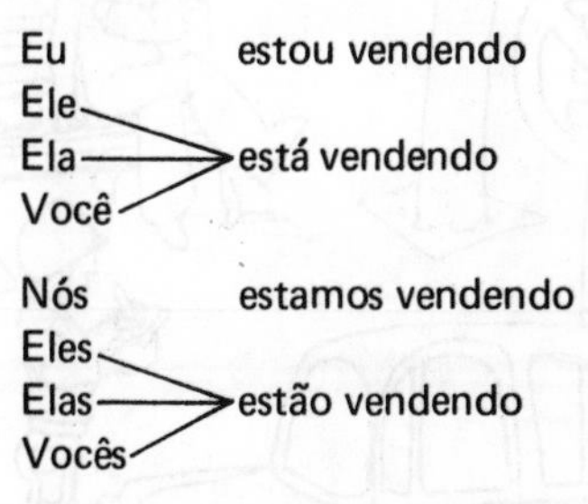

VENDER

Eu estou vendendo
Ele / Ela / Você → está vendendo

Nós estamos vendendo
Eles / Elas / Vocês → estão vendendo

C. Ele está atendendo um cliente agora.

1. (atender) Eu ________ o telefone agora.
2. (atender) Ela ________ a porta agora.
3. (comer/beber) Agora nós ________ pizza e ________ cerveja.
4. (mostrar) Hoje ele ________ a cidade para os amigos.
5. (aprender) Você ________ português agora.
6. (trabalhar) Eles ________ muito agora.
7. (escrever) Vocês ________ agora.
8. (atender) Nós ________ clientes hoje.
9. (aprender) Eu ________ alemão agora.
10. (trabalhar) Agora o médico ________ no hospital.

D. Passe C para o negativo oralmente.

E. O que eles estão fazendo agora? Use os verbos mostrar, escrever, andar, trabalhar, comprar, vender e conversar.

Na praça

O guarda está escrevendo uma multa

Paulo e João estão conversando acerca de trabalho

Pedro está trabalhando na rua.

O pipoqueiro (popcorn seller) está vendendo

Dona Maria está mostrando os pássaros

Carlos está andando para trabalho.

A menina está comprando a pipoca.

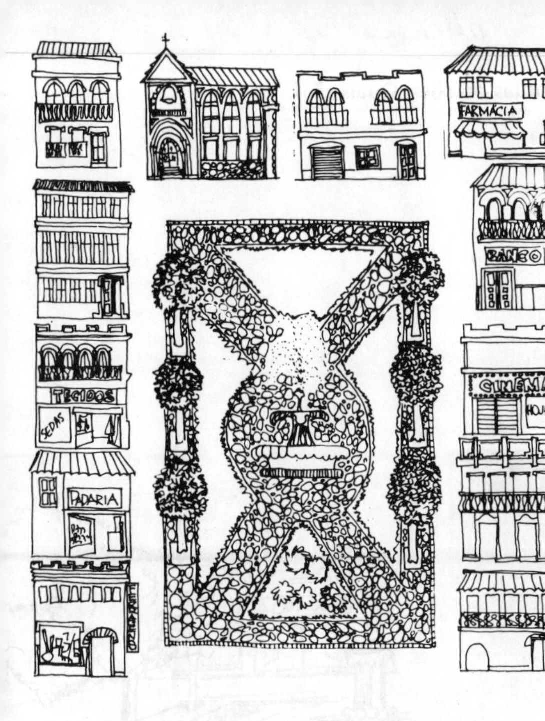

Texto Narrativo

Uma cidade pequena

Estamos visitando uma pequena cidade brasileira. Ela fica no interior de Minas Gerais. O centro da cidade é a praça da igreja. Nesta praça há lojas, uma farmácia, um cinema, um ou dois bancos, um bar e uma padaria. À noite, os moços e as moças vão à praça para encontrar os amigos e conversar com eles.

As casas são antigas. Há casas modernas na parte nova da cidade.

A vida aqui é muito calma.

A. Complete com o vocabulário da leitura:

1. Ouro Preto fica no ____________ de Minas Gerais.
2. A ____________ da igreja é o ____________ da cidade.
3. Há dois ____________ nesta cidade.
4. Os ____________ e ____________ moças vão ao cinema.
5. À____________, os moços vão ao bar para ____________ com os amigos.
6. Na ____________ da cidade as casas são ____________.
7. Gosto ____________ vida ____________ desta cidade.

B. Coloque em ordem:

–É ali na esquina, na outra calçada.
–Vamos de ônibus para o centro?
–Há, sim. Mas também há prédios novos. Você tem dinheiro?
–Não, vamos a pé. Gosto de andar.
–Não, não tenho. Onde é o banco?
–Eu também. Há muitos prédios antigos no centro?

C. A cada imagem correspondem duas orações. Quais são?

Que azar! Desculpe!
Brasília é uma cidade moderna.
Estes prédios são muito altos.
Ai! Meu pé!
Este ônibus vai para o centro.
A vida aqui é muito calma.
O Presidente mora aqui.
O ponto de ônibus é ali na esquina.
A porta do restaurante está aberta.
Nesta praça há uma farmácia.

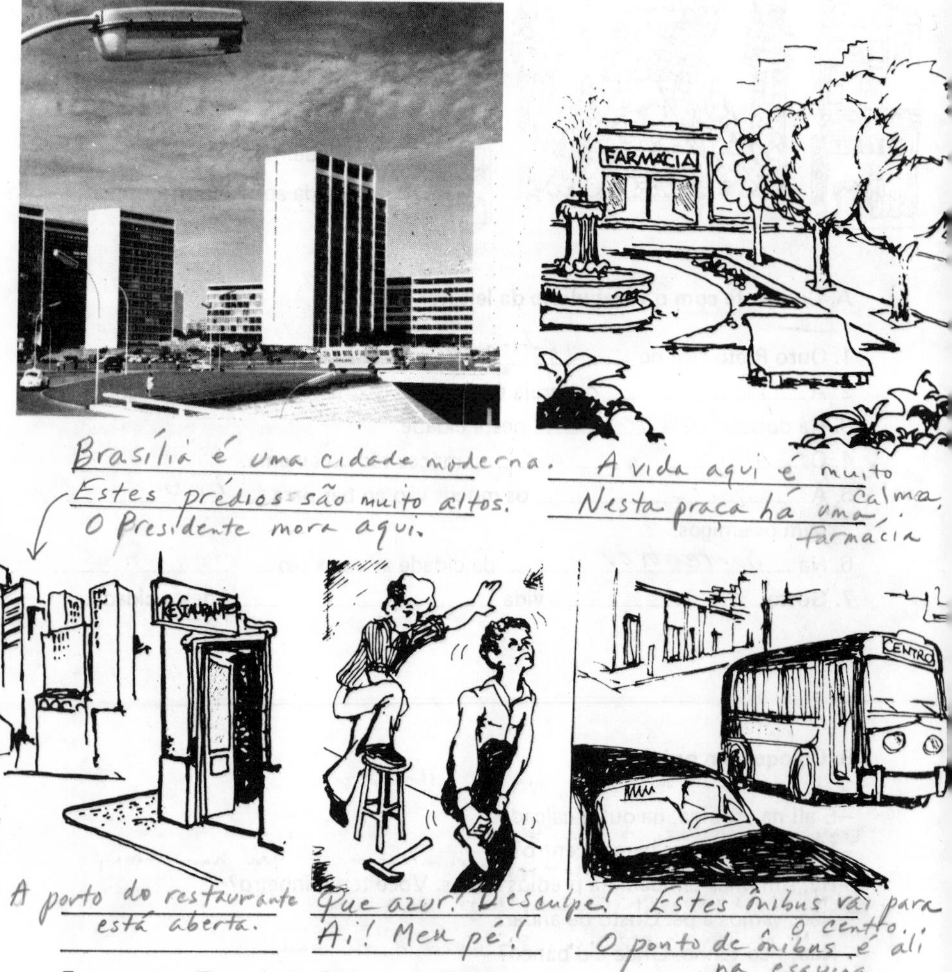

Faça agora o Teste 1, do Caderno de Testes.

Unidade 3

No restaurante

José: —Você está com pressa?
Luís: —Não. Por quê?
José: —Porque quero almoçar agora. Estou com fome.
Luís: —Eu também.
José: —Há um bom restaurante aqui perto.
Luís: —Boa idéia! Como vamos até lá?
José: —A pé, é claro!
Luís: —Quanta gente! Onde vamos sentar?
José: —Há uma mesa livre ali no canto. O que você vai pedir?
Luís: —Talvez uma salada de legumes e depois carne com batatas. E você?
José: —A mesma coisa. Vou tomar também uma cerveja. Estou com sede.
Luís: — Já podemos pedir a sobremesa. Que tal um sorvete? Hoje está quente.
José: — Agora o cafezinho.
Luís: — Garçon, a conta, por favor. Este restaurante não é caro.
Garçon: — Desculpe, senhor, mas a gorjeta não está incluída.
Luís: — Ah, é mesmo.
José: — O troco está certo? Então podemos ir.

Numa confeitaria

—Estou muito cansada. Vamos sentar naquela confeitaria. Vou pedir chá com torradas. E você?
—Eu estou com fome e com sede. Vou tomar um refrigerante e comer um bauru.

A. Responda:

1. O que José e Luís vão fazer? Por quê?
2. Onde há uma mesa livre?
3. O que vão pedir? Por que vão tomar uma cerveja?
4. Por que vão tomar um sorvete?
5. Eles tomam cafezinho? E você?
6. Você gosta de tomar cafezinho?
7. A gorjeta está incluída?

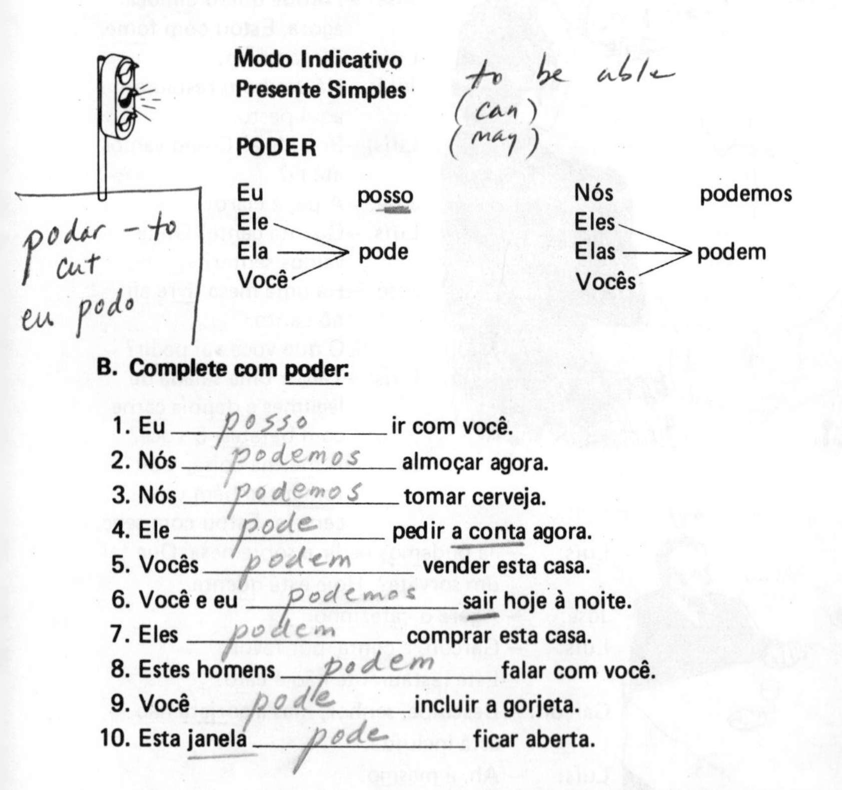

Modo Indicativo
Presente Simples

PODER

Eu	posso	Nós	podemos
Ele / Ela / Você	pode	Eles / Elas / Vocês	podem

B. Complete com poder:

1. Eu ______ ir com você.
2. Nós ______ almoçar agora.
3. Nós ______ tomar cerveja.
4. Ele ______ pedir a conta agora.
5. Vocês ______ vender esta casa.
6. Você e eu ______ sair hoje à noite.
7. Eles ______ comprar esta casa.
8. Estes homens ______ falar com você.
9. Você ______ incluir a gorjeta.
10. Esta janela ______ ficar aberta.

C. Você pode preparar o jantar? Sim, posso.

1. Eles podem abrir a porta? Sim, ______.
2. Nós podemos ficar ali no canto? Sim, ______.
3. Sílvia e Antônio podem ficar aqui? Sim, ______.
4. Eu posso almoçar com vocês? Sim, ______.
5. O senhor pode escrever esta carta? ______, sim.
6. A porta pode ficar aberta? ______, sim.
7. Posso dormir agora? ______, sim.

D. Retome o exercício anterior dando respostas negativas.

Modo Indicativo
Futuro Imediato
MORAR

Eu	vou morar	Nós	vamos morar
Ele / Ela / Você	vai morar	Eles / Elas / Vocês	vão morar

E. O que você vai tomar? Vou tomar uma cerveja.

1. O que você vai comer? Eu vou comer uma salade.
2. O que vocês vão tomar? Nós vamos tomar ums refrigerantes.
3. O que ele vai pedir ao garçon? Eles vão pedir carne com batatas.
4. O que vamos fazer depois do almoço? Vocês vão compra un livro.
5. O que vou oferecer como sobremesa? Você vai oferecer un chá.
6. O que você e eu vamos tomar? Nós vamos tomar un cerveja.

F. Você vai tomar café? Sim, vou tomar café.

at 7 o'clock

1. Você vai jantar? Sim, vou jantar às sete horas.
2. Você vai tomar cerveja? Não, não vou tomar cerveja.
3. Vocês vão vender uma casa? Sim, vamos vender esta casa.
4. Ela vai ficar com casa? Não, ela não vai ficar em casa.
5. Você pode falar com Mariana? Não, você não pode falar com Mariana.
6. Ele vai tomar um aperitivo? Sim, ele vai tomar um aperitivo.

ch

G. Eu/comprar/casa. Eu vou comprar uma casa.

1. Ele/vender/carro Ele vai vender um carro.
2. Os convidados/tomar/aperitivo Os convidados vão tomar um aperitivo.
3. Nós/pedir/sorvete. Nós vamos pedir um sorvete.
4. O senhor/tomar/café com leite O senhor vai tomar um café com leite.
5. Nós/tomar/o café da manhã Nós vamos tomar o café da manhã.
6. Os convidados/jantar/às oito horas Os convidados vão jantar às oito horas.

Ser ≠ estar

Ela é bonita.
Ela está bonita hoje.

O Saara é sempre quente.
Hoje está quente.

H. Complete com ser ou estar:

1. Hoje ____________ quente.
2. Ele ____________ inteligente.
3. Este restaurante não ____________ caro.
4. Este carro ____________ americano.
5. Ele ____________ médico.
6. Nós ____________ brasileiros.
7. Nós ____________ contentes agora.
8. O Alasca ____________ frio.
9. A Suiça ____________ bonita.
10. Brasília ____________ a capital do Brasil.
11. Nossos amigos ____________ na sala.
12. Eu ____________ aqui agora.
13. Luís e José ____________ no restaurante. Eles ____________ com fome.
14. Os copos ____________ na mesa e ____________ de cristal.
15. O senhor ____________ inglês? Não, ____________ americano.
16. Luís ____________ fotógrafo e José ____________ jornalista.

I. Complete a pergunta e a resposta com ser ou estar:

1. Você ______ professor? Não, eu sou aluno.
2. Você ______ garçon? Não, eu ____________ cozinheiro.
3. O Sr. Fagundes ______ comerciante? Não, ele ______ professor.
4. Luís e José, vocês ______ americanos? Não, nós ______ ingleses.
5. Elas ______ com fome? Não, elas não ______ com fome.
6. Os copos ______ na mesa? Sim, eles ______ na mesa.
7. Mariana, você ______ com sono? Sim, ______ com sono.
8. Ele ______ garçon e ______ no restaurante.
9. Nós ______ estrangeiros e ______ no restaurante.
10. O carro ______ na garagem? Não, não ____________.

J. Onde está Mariana? Ela está em casa.

1. Onde estão Luís e José ? Eles estão no restaurante.
2. Onde estão os copos ? Eles estão na mesa.
3. Vocês são ~~brasileiros~~ americanos ? Não, nós somos brasileiros.
4. Vocês estão com sede ? Não, estamos com fome.
5. Você é fotógrafo ? Não, eu sou jornalista.
6. Você estão com pressa ? Sim, estamos com pressa.
7. Onde está o carro ? Ele está na garagem.
8. Onde está Maria ? Ela está na casa dos Almeida.

L. Como vamos para o centro? Vamos de ônibus.

1. Como vamos para o Rio ? Vamos de avião.
2. Como Marianna vai para o escritório ? Ele vai a pé.
3. Como você vai para a farmácia ? Vou de metrô.
4. Como você vai para o Brazília ? Vou de trem.
5. Como eu vou para o ? Você vai de navio.
6. Como vocês vão para a igreja ? Vamos de táxi.
7. Como Luís e José vão para a praia ? Eles vão de táxi.
8. Como nós vamos para o banco ? Vocês vão de carro.
9. Como Sr. Riese vai para o cinema ? Ela vai a pé.
10. Como elas vão seus amigas ? Elas vão de ônibus.

Expressões sono sleepy

Eu estou com fome. hungry
Eu estou com sede. thirsty
Ele está com frio. cold

com calor hot

M. Ele está com fome. O que ele vai fazer? Ele vai almoçar.

1. Ele está com sede. O que ele vai fazer ? Ele vai beber alguma coisa.
2. Ele está com sono. O que ele vai fazer ? Ele vai dormir.
3. Ele está com calor. O que ele vai fazer ? Ele vai nadar.
4. Ele está com frio. O que ele vai fazer ? Ele vai pôr o suéter.
5. Ele está com fome. O que ele vai fazer ? Ele vai comer o jantar. jantar

Um rapaz cabeludo

–Que horror! Quando você vai cortar o cabelo?
–Depois do jantar.
–Depois do jantar? Depois do jantar o barbeiro está fechado.
–Ah! É mesmo! Então vou antes do jantar.

A. Responda com depois de/do/da:

1. (o almoço) Quando você toma cafezinho? Depois do almoço.
2. (o café da manhã) Quando você vai ao escritório? ________________.
3. (o jantar) Quando vamos ao cinema? ________________.
4. (o meio-dia) Quando você vai ao Correio? ________________.
5. (a aula) Quando você volta para casa? ________________.
6. (conhecer São Paulo) Quando ele vai a Recife? ________________.
7. (falar com ele) Quando você vai escrever a carta? ________________.

B. Responda com antes de/do/da:

1. (o almoço) Quando você toma aperitivo? Antes do almoço.
2. (o meio-dia) Quando você vai ao centro? ________________.
3. (o jantar) Quando você vai ao médico? ________________.
4. (o almoço) Quando você vai ao barbeiro? ________________.
5. (o café da manhã) Quando ele vai viajar? ________________.
6. (sair do escritório) Quando eu posso falar com você? ________________.
7. (o cafezinho) Quando ela pode pedir a sobremesa? ________________.
8. (a reunião) Quando você fala com a secretária? ________________.

Um baile a fantasia

–Nossa! Olhe ali no canto! Quanta gente esquisita!
–É mesmo. Olhe! Há um chinês, dois japoneses, dois espanhóis e três alemães.
–O chinês é meu irmão.
–Não gosto das mulheres. Estão muito feias.
–Os homens estão engraçados.
–E o cabeludo? É homem ou mulher?
–É meu marido.

Plural

o marido – os marido*s*
o home*m* – os home*ns*
o japon*ês* – os japones*es*
o rapa*z* – os rapa*zes*
a mulhe*r* – as mulhe*res*
o espanho*l* – os espanhó*is*
o irm*ão* – os irm*ãos*
o alem*ão* – os alem*ães*
a esta*ção* – as esta*ções*

A. Passe para o plural as palavras grifadas:

1. *A moça está* em São Paulo. ______
2. *O médico está* conversando com *o engenheiro*. ______
3. *Meu amigo está* aprendendo português. ______
4. *A moça vai* estudar inglês. ______
5. *Minha amiga vai* de táxi para casa. ______
6. *O aluno* não *fala* português. ______
7. *A sopa está fria*. ______
8. *A batata está quente*. ______
9. *Este restaurante* não *é caro*. ______
10. *O jornalista trabalha* à noite. ______

B. Passe para o plural as palavras grifadas:

1. *Este homem é bom?* ______
2. *A garagem do prédio* não *é grande*. ______
3. *Este jardim é bonito*. ______
4. *O homem está no jardim*. ______
5. *O apartamento é bom,* mas *a garagem é pequena*. ______

C. Passe para o plural as palavras grifadas:

1. *Este hotel é confortável*. ______
2. *Eu compro o jornal* de manhã. ______
3. *Vou* mostrar *este papel* para *meu amigo espanhol*. ______
4. Não *gosto* de *cidade industrial*. ______

D. Passe para o plural as palavras grifadas:

Observe:

o irmão — os irmãos
a mão — as mãos
o avião — os aviões
a estação — as estações
o pão — os pães
o alemão — os alemães

1. *Meu irmão vai* a pé para *a estação*. ______
2. *Eu compro pão* na padaria. ______
3. *Este avião vai* partir às 8 horas. ______
4. *Minha mão está fria*. ______
5. *Gosto deste aeroporto alemão*. ______

Texto Narrativo — Um almoço bem brasileiro

Hoje, o Sr. e a Sra. Clayton vão almoçar em casa da família Andrade. Mariana Andrade vai preparar um cardápio bem brasileiro para seus convidados.

Como aperitivo, vai oferecer a tradicional "caipirinha" e, como entrada, uma sopa de milho verde. O prato principal vai ser frango assado com farofa. Como sobremesa, os convidados vão comer doces e frutas.

Tudo já está preparado. A campainha está tocando. Luís Andrade vai receber seus amigos.

A. Responda:

1. O que o Sr. e a Sra. Clayton vão fazer hoje?
2. Por que Mariana vai oferecer "caipirinha" para seus convidados?
3. Você conhece "caipirinha"? Você gosta de "caipirinha"?
4. Descreva o cardápio de Mariana.
5. A campainha está tocando. O que Luís Andrade vai fazer?

B. Risque o que é diferente:

1. almoçar, jantar, oferecer, tomar, comer.
2. baile, navio, avião, carro, trem.
3. o aperitivo, a cerveja, a água, o médico, a caipirinha.
4. porta, quente, janela, sala, canto.
5. o bife, a comida, os legumes, a gorjeta, os pães.
6. talvez, banco, restaurante, escritório, aeroporto.
7. a pé, à noite, de táxi, de ônibus, de trem.
8. antes de, sempre, de manhã, grande, mais tarde.
9. interior, cabeludo, frio, bonito, alto.
10. com frio, com amigos, com sono, com sede, com pressa.

C. Prepare um cardápio bem brasileiro com algumas das palavras abaixo:

—bife	—cafezinho	—feijoada	—batata frita
—cerveja	—laranja	—ovo frito	—goiabada com queijo
—salada de tomate	—arroz	—couve	—feijão
—canja	—caipirinha	—guaraná	

Aperitivo — Entrada — Prato principal — Sobremesa — Bebida

______ ______ ______ ______ ______

______ ______ ______ ______ ______

E, finalmente: ____________

Ditado: Veja observação da pág. 9.

Unidade 4

Procurando um apartamento

André: —Estou procurando um apartamento perto do centro.
Jorge: —Para alugar?
André: —Não. Para comprar. Ontem vendi minha casa. Quero um apartamento com três quartos, uma boa sala, cozinha, dois banheiros, área de serviço e duas garagens.
Jorge: —Não é fácil encontrar apartamento grande no centro.
André: —É verdade. Ontem comprei um jornal, mas não achei nada interessante.
Jorge: —Nada?
André: —Nada. Todos os apartamentos ficam longe do centro.
Jorge: —Você prefere mesmo morar no centro?
André: —Prefiro. É mais prático.

Um negócio da China

—Vou comprar um terreno em Ubatuba.
—É grande?
—É! Tem 1.000 m^2 e fica bem perto da praia.
—Puxa! É caro, não é?
—Não. O preço é ótimo. Vou fazer um negócio da China!

Modo Indicativo
Pretérito Perfeito

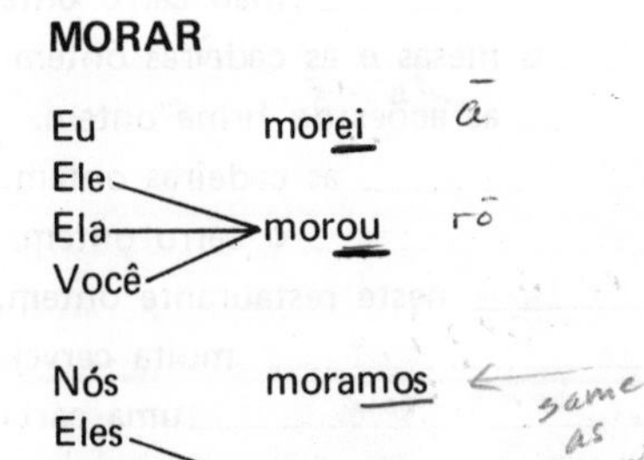

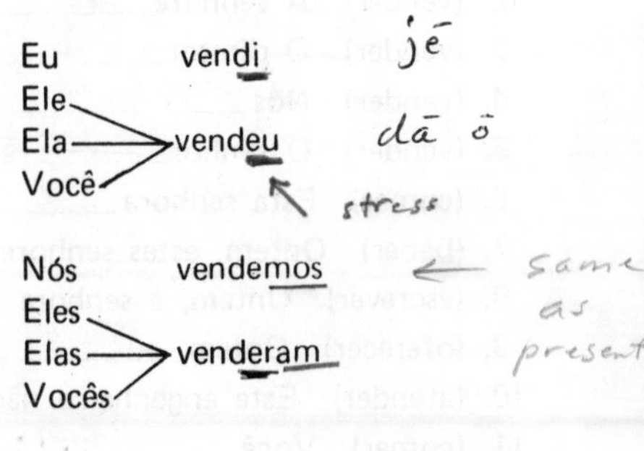

A. Ontem comprei um jornal.

1. (comprar) Ontem, eu _compre i_ um livro.
2. (comprar) Ontem, ele _comprou_ o jornal.
3. (comprar) Ontem, nós _compramos_ um carro.
4. (comprar) Ontem vocês _compraram_ uma casa bonita.
5. (preparar) Ontem, a senhora _preparou_ um bom jantar.
6. (encontrar) Ontem, você _encontrou_ uma carteira.
7. (mostrar) Ontem, o senhor _mostrou_ a cidade para seus amigos.
8. (tomar) Ontem, nós _tomamos_ um bom aperitivo.
9. (andar) Ontem, eu _andei_ quatro quilômetros.
10. (falar) Ontem, os senhores _falaram_ sobre poluição.
11. (trabalhar) No mês passado, nossos amigos _trabalharam_ no interior.
12. (gostar) Ontem, meu marido _gostou_ do jantar.
13. (almoçar) Ontem, meu marido não _almoçou_ em casa.
14. (jantar) Ontem, o diretor _jantou_ em casa.
15. (visitar) Ontem, eu _visitei_ meus amigos.

B. Ontem, eu vendi minha casa.

1. (vender) Eu ____________ meu carro ontem.
2. (vender) A senhora ____________ as mesas e as cadeiras ontem.
3. (vender) O diretor ____________ as ações da firma ontem.
4. (vender) Nós ____________ as cadeiras ontem.
5. (vender) O senhor ____________ o carro ontem.
6. (comer) Esta senhora ____________ neste restaurante ontem.
7. (beber) Ontem, estes senhores ____________ muita cerveja.
8. (escrever) Ontem, a senhora ____________ uma carta.
9. (oferecer) Ontem, eu ____________ um coquetel.
10. (atender) Este engenheiro não ____________ os clientes ontem.
11. (comer) Você ____________ bife com batatas ontem?
12. (oferecer) Eles ____________ um coquetel na semana passada.
13. (conhecer) Nós ____________ José no mês passado.
14. (aprender) Estes alunos ____________ inglês no ano passado.
15. (aprender) Vocês ____________ francês no ano passado?

C. Ontem vendi minha casa e comprei um apartamento.

1. (comer/beber) Ontem, eu ____________ pizza e ____________ vinho.
2. (encontrar/falar) Ontem, João ____________ Maria e ____________ com ela.
3. (almoçar/jantar) Ontem, eles ____________ ao meio-dia e ____________ às sete.
4. (conhecer/gostar) Na semana passada, nós ____________ João e ____________ dele.
5. (receber) No mês passado, você ____________ minha carta?
6. (trabalhar/visitar) No ano passado, nós ____________ em Londres e ____________ Nova York.
7. (escrever) Ontem, elas ____________ muitas cartas.
8. (receber) Hoje de manhã, eu ____________ um presente.
9. (vender) O senhor ____________ o apartamento?
10. (tomar) Meus amigos ____________ chá ontem à noite.

Modo Indicativo
Presente Simples

QUERER

Eu	quero	Nós	queremos
Ele / Ela / Você	quer	Eles / Elas / Vocês	querem

Querer

Eu quero sair,
mas *ele quer* ficar.
Você quer dormir,
mas *ela quer* andar.
Nós queremos ir,
mas *eles querem* vir.
Isto é uma canção?
Mas que confusão!

Modo Indicativo
Presente Simples

PREFERIR

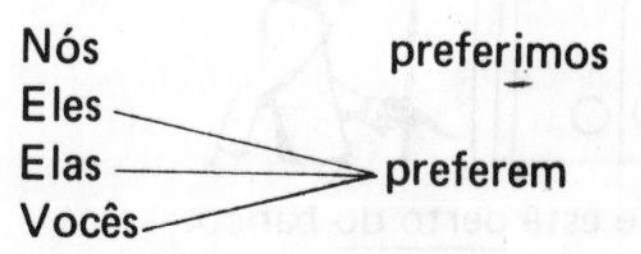

Eu	prefiro	Nós	preferimos
Ele / Ela / Você	prefere	Eles / Elas / Vocês	preferem

D. Eu quero sair, mas ele quer ficar.

1. Nós ________ ir ao cinema, mas ele ________ ir ao teatro.
2. Estes rapazes ________ tomar cerveja, mas estas moças não ________.
3. Eu ________ um apartamento com três dormitórios, mas não ________ uma sala grande.
4. Vocês ________ ir ao centro, mas eu ________ ficar em casa.
5. Ele ________ vir aqui, mas ela não ________.
6. Elas ________ ir de ônibus, mas eles ________ ir de táxi.
7. Maria e Laura ________ dormir, mas eu ________ sair.

E. Eu prefiro morar no centro.

1. (preferir) Os turistas ________ esta praia.
2. (preferir) Minha mulher ________ esta casa.
3. (preferir) Nós ________ tomar "caipirinha".
4. (preferir) Você ________ chá ou café?
5. (preferir) Meu filho ________ café com leite.
6. (querer/preferir) Meu marido ________ morar no centro, mas eu ________ morar no subúrbio.
7. (querer/preferir) Ela ________ um carro grande, mas ele ________ um carro pequeno.
8. (querer/preferir) Meus amigos ________ viajar, mas eu ________ ficar em casa.
9. (querer/preferir) Eu ________ ir a pé, mas ele ________ ir de ônibus.
10. (querer/preferir) Eu ________ comprar uma casa moderna, mas ele ________ uma casa antiga.

F. Observe o desenho e faça a sentença:

1. Ele está perto do banco.

2. Ele está longe da farmácia.

3. Ele está longe da esquina

4. Este carro está perto do posto de gasolina.

5. Ele está perto de Campinas mas está longe de Manaus.

6. As cadeiras estão longe das mesas.

7. Ele está perto do carro

Um lugar agradável

André: —Ontem comprei um apartamento.
Jorge: —No centro?
André: —Não. Num bairro residencial, não muito longe do centro.
Jorge: —Você mudou de idéia?
André: —Mudei. E estou contente.
Jorge: —Onde fica seu apartamento?
André: —No Jardim Paulista perto de um grande parque.
Jorge: —Perto de um grande parque?
André: —É. Em frente do parque há um museu famoso.
Jorge: —E atrás?
André: —Atrás do parque há um grande colégio.
Jorge: —Que bom! E quanto custou o apartamento?
André: —Um absurdo! Mas valeu a pena. Vou mudar amanhã.

A. Em frente do prédio há uma praça.

1. Em frente __________ casa há um jardim.
2. Em __________ __________ museu há um posto de gasolina.
3. __________ __________ __________ bancos há sempre um guarda.
4. __________ __________ __________ escolas há muitas crianças.
5. __________ __________ __________ garagens não há carro.
6. __________ __________ __________ restaurante há um ponto de ônibus.

B. Meu carro está atrás da casa.

1. A cadeira está atrás ________ sofá.
2. Há um jardim ________ ________ hotel.
3. Há um prédio alto ________ ________ Prefeitura.
4. Sente-se ________ ________ Maria.
5. Eu sempre sento ________ ________ João.

C. Este restaurante fica ao lado do cinema.

1. Ao lado ________ Correio fica a Prefeitura.
2. Ao ________ ________ minha casa há uma padaria.
3. Espero você ________ ________ ________ biblioteca.
4. Ele está esperando André ________ ________ ________ super-mercado.
5. Esperei você ________ ________ ________ banca de jornais.
6. Vamos esperar João ________ ________ ________ restaurante.

D. Complete com: na frente de, atrás de, ao lado de, perto de, longe de:

1. (perto/livro) Onde estão meus óculos? Estão perto do livro.
2. (atrás/Prefeitura) Onde fica o Correio? Fica ________
3. (frente/estação) Onde fica o ponto de ônibus? Fica ________
4. (longe/São Paulo) Onde fica Manaus? Fica ________
5. (lado/super-mercado) Onde está nosso carro? Está ________

em + um = num
em + uma = numa
em + uns = nuns
em + umas = numas

E. Transforme:

1. em um hotel = num hotel
2. em uma escola = ________
3. em um avião = ________
4. em umas casas = ________
5. em uns livros = ________
6. em umas caixas = ________
7. em um banco = ________
8. em uma loja = ________

Onde estão eles?

—Roberto, onde está *seu* irmão?
—Está na praça com os amigos *dele*.
—E *sua* irmã?
—Está na lanchonete com os amigos *dela*. Por quê?
—Preciso falar com eles.

Possessivos

eu	meu, minha, meus, minhas
ele ela você	(seu, sua, seus, suas) dele (seu, sua, seus, suas) dela seu, sua, seus, suas
nós	nosso, nossa, nossos, nossas
eles elas vocês	(seu, sua, seus, suas) deles (seu, sua, seus, suas) delas seu, sua, seus, suas

A. Complete com meu, minha, meus, minhas, nosso, nossa, nossos, nossas:

1. Quero conversar com ______________ professor de português.
2. Queremos conversar com ______________ professor de inglês.
3. Vamos sair com ______________ filhos.
4. Gostamos de sair com ______________ amigos.
5. Ontem, falamos com ______________ filha por telefone.
6. Moro neste bairro com ______________ família. Gosto do ______________ bairro.
7. Estou falando com ______________ mulher.
8. Vou guardar ______________ documentos no cofre.
9. Venha comigo! Quero mostrar ______________ apartamento.
10. ______________ amigas querem falar comigo.

B. Complete com seu, sua, seus, suas:

1. Maria, onde está ______________ irmão?
2. Helena, onde fica ______________ casa?
3. Você vai sair com ______________ marido?
4. Onde você comprou ______________ livro?
5. Onde você comprou ______________ livros?
6. André, quero conhecer ______________ irmã.
7. André, quero conhecer ______________ irmãs.
8. Maria e André, onde fica ______________ casa?
9. Vocês venderam ______________ carro?
10. Vocês mostraram ______________ documentos?

C. Complete com dele, dela, deles, delas:

1. (ela) Onde estão os óculos ______________?
2. (ela) O apartamento ______________ é confortável.
3. (ele) Não gosto da cidade ______________.
4. (ele) Você conhece os irmãos ______________?
5. (ele/ela) A família ______________ é grande. A família ______________ também é.
6. (elas) O pai ______________ é alemão.
7. (eles/ela) A mãe ______________ não está aqui. Ela está na Europa com a amiga ______________.
8. (eles/elas) O escritório ______________ é no centro. O escritório ______________ é no subúrbio.
9. (ela/ele) Os irmãos ______________ trabalham aqui. Os irmãos ______________ também.
10. (ela/ele) Você quer o livro ______________ ou o livro ______________?

D. Complete com meu, minha, etc.

Vou viajar domingo para a Bahia com ______________ amigos Roberto e Cristina. Roberto vai comprar ______________ passagens e Cristina vai reservar ______________ hotel.

Roberto prefere viajar de carro, mas o pai ______________ não quer. Cristina vai levar os livros ______________ sobre a Bahia. ______________ viagem vai ser interessante.

E. João, onde está seu irmão? Meu irmão está em casa.

1. Luísa, onde trabalha __________ irmã? __________ irmã trabalha no banco.
2. (ele) Onde está a filha __________ ? A filha __________ está aqui.
3. (nós) Gostamos de __________ amigos.
4. (ele/ela) Não quero as chaves __________. Quero as chaves __________.
5. (eles) Mariana e Luís vão para a Europa. Os filhos __________ vão ficar no Brasil.
6. André, você vendeu __________ casa? Não, não vendi __________ casa. Vendi __________ apartamento.
7. Cristina, você quer __________ bolsa e __________ óculos agora?
8. (ele) Ele está conversando com o pai __________.
9. (ele) Ele está conversando com a mãe __________.
10. (ela) Você conhece a casa __________?
11. (ele, nós) Ele vendeu a bicicleta __________ e comprou __________ carro.
12. (ela/ele) Teresa quer visitar as amigas __________, mas Tomás prefere visitar os amigos __________.
13. (eles) Ana e Paulo venderam a fábrica __________.

Precisar

a. *Preciso falar* com eles.
b. *Preciso de* dinheiro.

F. Complete. Use precisar:

1. Vou ao banco porque preciso __________ __________.
2. Ela vai ao super-mercado porque precisa __________ __________.
3. Vamos à padaria porque precisamos __________ __________.
4. Vou ao posto de gasolina porque __________.
5. Ele vai ao barbeiro porque __________.
6. Ela vai à Estação Rodoviária porque __________.
7. Vou telefonar para ele porque __________.
8. Vamos escrever para ela porque __________.
9. Vou vender minha casa __________.
10. Eles vão de avião porque __________.

Texto Narrativo

Onde morar?

Viver no centro de São Paulo está ficando cada vez mais difícil. A vida é muito agitada e os apartamentos estão cada vez mais caros.

Se você quer viver com conforto, num bom apartamento, grande e com muita luz, você precisa morar num bairro.

Depois de trinta anos de desenvolvimento industrial, São Paulo é hoje uma grande cidade. Os antigos bairros residenciais perto do centro são agora bairros comerciais. Por isto, a família que prefere morar numa casa confortável, num lugar tranqüilo, precisa procurar novos bairros, cada vez mais distantes. Isto sempre acontece nas grandes cidades.

A. Responda:

1. Por que é difícil morar no centro de São Paulo?
2. Onde podemos viver com mais conforto?
3. O que aconteceu com os bairros residenciais perto do centro?
4. Você prefere morar no centro ou num bairro residencial mais distante? Por quê?

B. Reescreva o anúncio por extenso:

Aluga-se	*Pinheiros*

2 dorms. c/ gar. e tel.

Face norte, ensolarado.
Rua tranqüila. Ótimo liv., s/ jant., 2grds. dorms. c/ arms. embut., 2 banhs., lav., copa-coz., área serv. e gar.
Ch. c/ o zelador.

11/10

C. Observe a planta deste apartamento e responda:

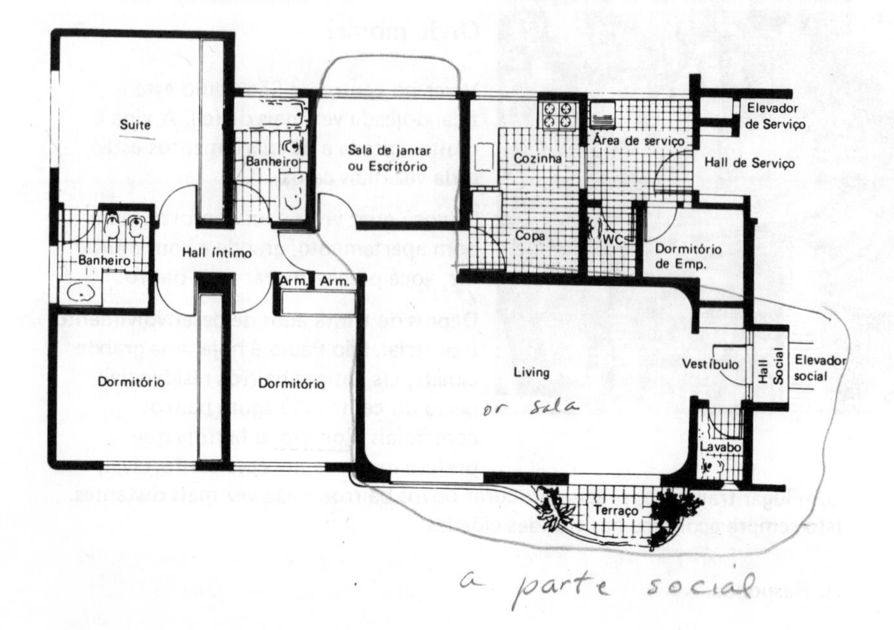

1. Que família pode morar neste apartamento? Por quê?
2. O que há na parte social? What is there in the public areas.
3. Explique o que é uma área de serviço.
4. Você gosta deste apartamento? Por quê?

Faça agora o Teste 2, do Caderno de Testes.

Unidade 5

No jornaleiro

Ele: —Vamos passar no jornaleiro. Assim posso comprar o jornal e trocar o dinheiro para o ônibus.
—"O Estado", por favor.

Jornaleiro: —Já acabou. O senhor não quer "A Folha"?

Ele: —Está bem. Quanto é?

Jornaleiro: —São 7 cruzeiros.

Ele: —Só tenho uma nota de 500 cruzeiros. O senhor tem troco?

Jornaleiro: —Infelizmente, não. No domingo, em geral, abro a banca mais tarde e ainda não vendi muito.

Ela: —Paulo, também quero uma revista. Ele tem o último "Desfile"?

Jornaleiro: —Tenho, sim. Chegou na sexta-feira. Há uma entrevista muito interessante com Chico Buarque. Ele esteve aqui há 15 dias.

Ele: —Agora o senhor pode trocar os 500?

Jornaleiro: —Bem, 7 cruzeiros do jornal com 35 da revista são 42. Aqui está o troco: 42 mais 3 são 45; mais 5 são 50 e mais 50, 100, 200, 300, 400, 500.

Ele: —Obrigado.

Ela: —O ônibus "Estações", número 69, passa por aqui?

Jornaleiro: —Não, passa pela rua ao lado.

Assim não dá!

—Veja! Que sofá bonito! E que poltronas confortáveis!
—É mesmo! Mas olhe o preço.
—Nossa! Cr$ 22.560,00 o sofá e Cr$ 11.320,00 cada poltrona!
—Pois é! Que absurdo! Assim não dá!

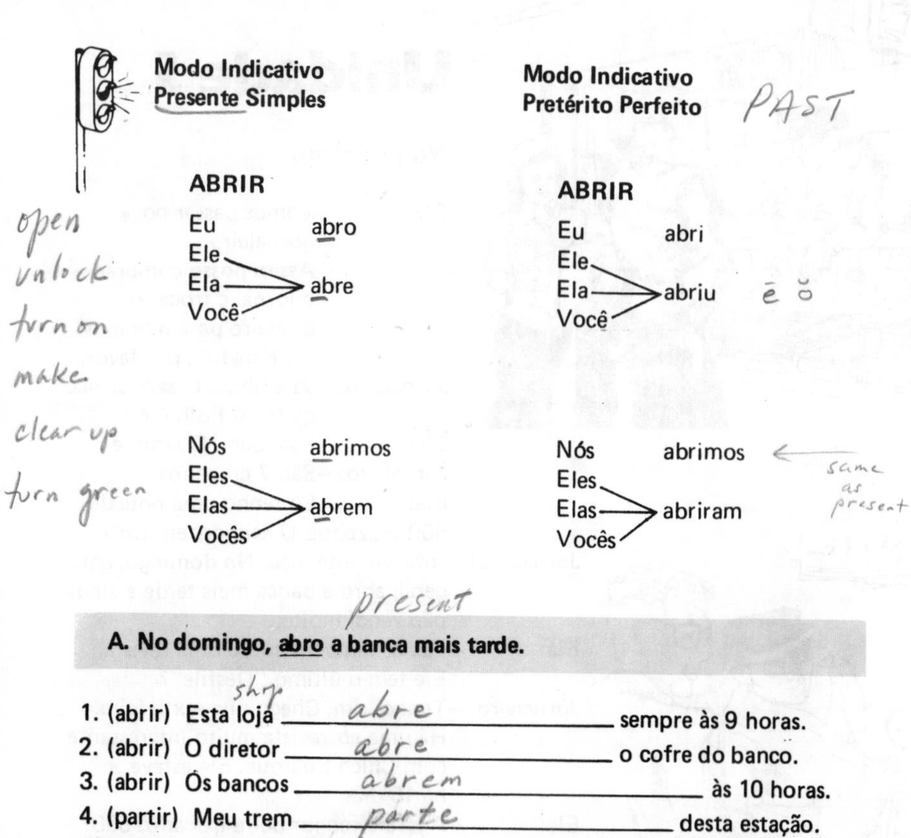

Modo Indicativo **Presente Simples**		**Modo Indicativo** **Pretérito Perfeito**	
ABRIR		**ABRIR**	
Eu	abro	Eu	abri
Ele Ela Você	abre	Ele Ela Você	abriu
Nós	abrimos	Nós	abrimos
Eles Elas Vocês	abrem	Eles Elas Vocês	abriram

A. No domingo, abro a banca mais tarde.

1. (abrir) Esta loja ____________ sempre às 9 horas.
2. (abrir) O diretor ____________ o cofre do banco.
3. (abrir) Os bancos ____________ às 10 horas.
4. (partir) Meu trem ____________ desta estação.
5. (partir) Eles ____________ para Madrid com os filhos.
6. (assistir) Eu ____________ à peça de teatro à noite.
7. (assistir) Ele sempre ____________ a filmes pela televisão.
8. (decidir) Nós ____________ nossos problemas com calma.
9. (decidir) Os alunos ____________ falar com o professor.
10. (dividir) Você ____________ o dinheiro com seu irmão.

B. Ontem, abri a banca mais tarde.

1. (abrir) Eu não ____________ esta janela ontem.
2. (abrir) Nós ____________ o cofre na semana passada.
3. (abrir) Nossa firma ____________ uma loja nova no mês passado.
4. (partir) O avião ____________ há 15 minutos.
5. (partir) Eles ____________ para a Europa no ano passado.
6. (assistir) Você ____________ à televisão ontem?
7. (assistir) Há 15 dias eu ____________ a um filme sobre a Bahia.

8. (decidir) Vocês já _____________ o que vão fazer?
9. (dividir) Paulo _____________ tudo com os filhos.
10. (dividir) Ana e Paulo _____________ tudo com os filhos.
11. (preferir) Ontem, ele _____________ ficar em casa.
12. (preferir) No ano passado, eu _____________ não viajar.

C. Complete:

1. (discutir) Ontem nós _____________ sobre a Bahia.
2. (discutir) Estamos sempre _____________ sobre o dinheiro.
3. (dividir) Vou _____________ o dinheiro com meus sócios.
4. (dividir) Nossos amigos vão _____________ o living em duas salas.
5. (preferir) Ele sempre _____________ viajar de avião.
6. (preferir) Você _____________ chá ou café?
7. (telefonar) No mês passado, ele _____________ de Londres.
8. (esquecer) Eu sempre _____________ o número do telefone dele.
9. (mudar) Amanhã vamos _____________ de casa.
10. (receber) Este diretor nunca _____________ os jornalistas.
11. (encontrar) Ontem, meu amigo _____________ uma boa casa para comprar.
12. (viver) Eles _____________ muito tempo nos Estados Unidos, mas agora estão _____________ no Brasil.

D. Complete com o Presente Contínuo:

1. (abrir) Olhe! Eles _____________ abrindo a porta do cofre!
2. (partir) Que pena! Nosso trem _____________ !
3. (assistir) Silêncio! Eu _____________ ao filme.
4. (discutir) João e Antônio _____________ os novos planos.
5. (insistir) Nós _____________ em ficar.
6. (viver) Meu irmão mais velho _____________ na África.
7. (trocar) Venha ajudar! Eles _____________ o pneu do carro.
8. (aprender) Agora eu _____________ português.
9. (mostrar) Venha! Ele _____________ a casa para os amigos.
10. (incluir) O dono do restaurante _____________ a gorjeta na conta.

por
por + a = pela
por + o = pelo
por + as = pelas
por + os = pelos

E. O ônibus passa por aqui?

1. O ônibus passa ______________ Copacabana?
2. O ônibus passa ______________ Santos?
3. O ônibus passa ______________ lá?
4. O ônibus passa ______________ centro?
5. Vamos ______________ avenida Rio Branco?
6. Recebi seu presente ______________ Correio.
7. Este ônibus vai para Blumenau ______________ montanhas?
8. Não, vai ______________ praias.
9. A notícia chegou ______________ jornais.
10. Recebemos a notícia ______________ telefone.

Números

1 – um, uma
2 – dois, duas
3 – três
4 – quatro
5 – cinco
6 – seis
7 – sete
8 – oito
9 – nove
10 – dez
11 – onze
12 – doze
13 – treze
14 – quatorze ou catorze
15 – quinze
16 – dezesseis
17 – dezessete
18 – dezoito
19 – dezenove
20 – vinte
21 – vinte e um (uma)
22 – vinte e dois (duas)
23 – vinte e três
24 – vinte e quatro
. . . .
30 – trinta
31 – trinta e um (uma)
. . . .
40 – quarenta
50 – cinqüenta ou cincoenta
60 – sessenta
70 – setenta
80 – oitenta
90 – noventa
100 – cem
200 – duzentos (duzentas)
300 – trezentos (trezentas)
400 – quatrocentos (quatrocentas)
500 – quinhentos (quinhentas)
600 – seiscentos (seiscentas)
700 – setecentos (setecentas)
800 – oitocentos (oitocentas)
900 – novecentos (novecentas)
1 000 – mil
1 000 000 – um milhão

11/17

in full

F. Escreva por extenso:

2 – dois (duas)
8 – oito
12 – doze
16 – dezesseis
19 – dezenove
20 – vinte
27 – vinte e sete
56 – cinqüenta e seis
69 – sessenta e nove
81 – oitenta e un
114 – cem e quatorze
500 – quinhentos
573 – quinhentos e setenta e três
600 – seiscentos
644 – seiscentos e quarenta e quatro
798 – setecentos e noventa e oito
800 – oitocentos
811 – oitocentos e onze
913 – novecentos e treze
1020 – ~~un~~ mil e vinte
1980 – ~~un~~ mil e novecentos e oitenta
2217 – dois mils e duzentos e dezessete
5318 – cinco mils e trezentos e dezoito
8111 – oito mils e cem e onze

Um, dois,
Feijão com arroz. bean w/ rice
Três, quatro,
Feijão no prato.
Cinco, seis,
Bolo inglês. cake
Sete, oito,
Comeu biscoito. ate biscuit cookie
Nove, dez,
Comeu pastéis. ate turnover

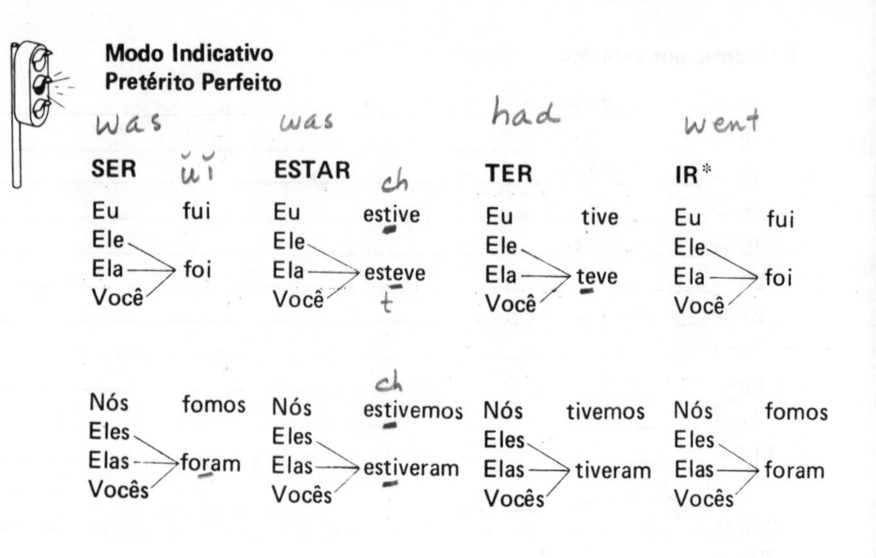

Modo Indicativo
Pretérito Perfeito

SER		ESTAR		TER		IR*	
Eu	fui	Eu	estive	Eu	tive	Eu	fui
Ele / Ela / Você	foi	Ele / Ela / Você	esteve	Ele / Ela / Você	teve	Ele / Ela / Você	foi
Nós	fomos	Nós	estivemos	Nós	tivemos	Nós	fomos
Eles / Elas / Vocês	foram	Eles / Elas / Vocês	estiveram	Eles / Elas / Vocês	tiveram	Eles / Elas / Vocês	foram

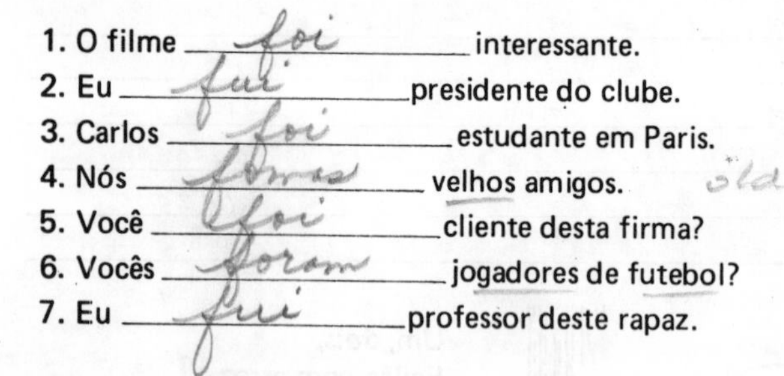

G. Complete com ser no Pretérito Perfeito:

1. O filme ______ interessante.
2. Eu ______ presidente do clube.
3. Carlos ______ estudante em Paris.
4. Nós ______ velhos amigos.
5. Você ______ cliente desta firma?
6. Vocês ______ jogadores de futebol?
7. Eu ______ professor deste rapaz.

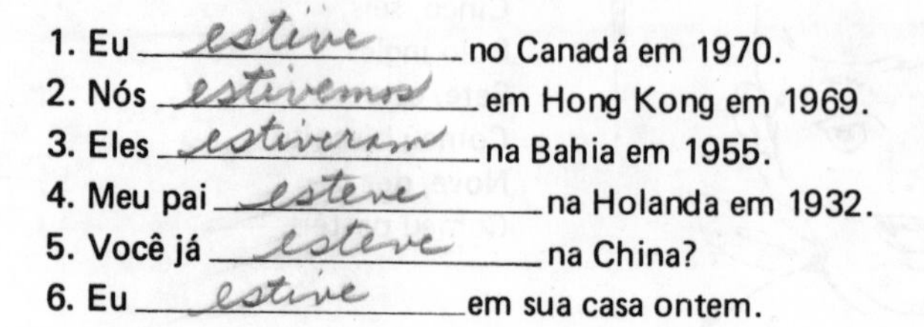

H. Complete com estar no Pretérito Perfeito:

1. Eu ______ no Canadá em 1970.
2. Nós ______ em Hong Kong em 1969.
3. Eles ______ na Bahia em 1955.
4. Meu pai ______ na Holanda em 1932.
5. Você já ______ na China?
6. Eu ______ em sua casa ontem.

---

* Observe que a forma é a mesma do verbo *ser*.

11/17

I. Complete com ter no Pretérito Perfeito:

1. Carlos já teve muito dinheiro.
2. Nós tivemos muito trabalho ontem.
3. Estes alunos tiveram aula de alemão ontem.
4. No ano passado, vocês tiveram sorte.
5. O Brasil teve duas capitais antes de Brasília: Salvador e Rio de Janeiro.
6. Eu tive uma boa surpresa ontem.

11/17

J. Complete com ir no Pretérito Perfeito:

1. Nós fomos para a Europa de navio.
2. Meus irmãos foram para o Chile há cinco anos.
3. Paula, você já foi à Bahia?
4. Não, eu nunca fui .
5. Ontem, ele foi ao super-mercado comigo. with me?
6. O senhor foi ao médico anteontem. anchee on tam

Dias da semana

domingo	
segunda-feira	
terça-feira	anteontem (day before yesterday)
quarta-feira	ontem
quinta-feira	hoje
sexta-feira	amanhã
sábado	depois-de-amanhã (day after tomorrow)

11/17

I. Complete:

Hoje é quarta-feira. Ontem, terca-feira, trabalhei muito. Anteontem, segunda-feira, não trabalhei porque fiquei doente. Amanhã, cinqa-feira, vou trabalhar das 8 às 5 e depois-de-amanhã, sexta-feira, também. No fim da semana, sábado e domingo, vou viajar.

Na estação

—A que horas parte o trem para o subúrbio?
—Às quinze para as oito.
—Agora são cinco para as oito! Que pena! Ele já partiu!

Que horas são?

	São oito horas.
8:00	São oito horas em ponto.
8:05	São oito e cinco.
8:15	São oito e quinze.
8:30	São oito e meia.
8:40	São vinte para as nove.
8:45	São quinze para as nove.
12:00	É meio-dia.
24:00	É meia-noite.
1:00	É uma hora.
1:10	É uma e dez.

A. Que horas são?

1. Que horas são? São cinco e cinco
2. Que horas são? São cinco e quinze
3. Que horas são? São cinco e vinte
4. Que horas são? São quinze para as seis.
5. Que horas são? São vinte e cinco para as seis

6. Que horas são? São seis horas (em ponto)

7. Que horas são? São dez para as seis

8. Que horas são? É uma e dez

9. Que horas são? É meio-dia e quinze

10. Que horas são? É meia-noite e quinze

11/19

B. A que horas?

1. (19:00) A que horas você janta? Janto às sete horas.
2. (19:45) A que horas você vai ao cinema? Eu vou ao cinema às quinze para as oito.
3. (14:15) A que horas ele vai à escola? Ele vai à escola às duas e quinze.
4. (19:30) A que horas eles vão à praça? Eles vão à praça às sete e meia.
5. (14:50) A que horas ele abre o consultório? Ele abre o consultório às duas e cinqüenta.
6. (13:00) A que horas vocês almoçam? Nós almoçamos à uma hora em ponto.
7. (17:35) A que horas o avião vai partir? O avião vai partir às sete e trinta e cinco.
8. (23:30) A que horas vai começar o baile? O baile vai começar às onze e meia.
9. (1:45) A que horas ele foi para casa? Ele foi para casa às quinze para as duas.
10. (16:15) A que horas você encontrou José? Eu encontrei José às quatro e quinze.
11. (10:30) A que horas vamos ao banco? Nós vamos ao banco às dez e meia.
12. (22:00) A que horas vocês vão dormir? Nós vamos dormir às dez horas.
13. (24:00) A que horas você chegou ontem à noite? Eu cheguei ontem à noite à meia-noite.
14. (12:30) A que horas você quer almoçar? Eu quero almoçar às doze e meia.
15. (6:40) A que horas ele vai telefonar para nós? Ele vai telefonar para nós às seis e quarenta.

chegar = to arrive

C. A que horas ele chegou? Ele chegou às 7 horas.

1. A que horas ele partiu? ?
Ele partiu às 7:20.
2. A que horas vocês chegaram? ?
Nós chegamos à meia-noite.
3. A que horas vai começar o baile? ?
O baile vai começar às 9:30 em ponto.
4. A que horas eu vou chegar em Londres? ?
Você vai chegar em Londres ao meio-dia em ponto.
5. A que horas vocês vão chegar em Viena ?
Vamos chegar em Viena às 6:45.
6. A que horas ele perfere partir? ?
Ele prefere partir às 5:25.
7. A que horas estes clientes chegaram ?
Estes clientes chegaram às 6:10.
8. A que horas você prefere sair ?
Eu prefiro sair às 2:35.
9. A que horas o diretor reuniu os clientes?
O diretor reuniu os clientes às 2:40.
10. A que horas vocês reuniu os clientes ?
Ontem reunimos os clientes às 10:55.

D. Ele trabalha das 8 ao meio-dia.

1. (estudar/13:00-17:00) Eles estudam da 1 às 5.
2. (atender clientes/8:00-12:00) Eles atendem clientes das oito ao meio-dia.
3. (assistir à televisão/20:00-23:00) Nós assistimos à televisão das oito às onze.
4. (almoçar/12:00-13:00) Eu almoço do meio-dia à uma.
5. (jantar/19:30-20:30) Você janta das sete e meia às oito e meia.

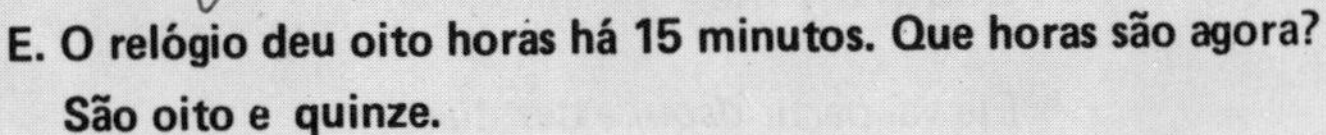

E. O relógio deu oito horas há 15 minutos. Que horas são agora?

São oito e quinze.

1. O relógio da igreja deu 9:15 há dez minutos. Que horas são agora?
São nove e vinte e cinco.
2. O relógio do Correio bateu 10:15 há 5 minutos. Que horas são agora?
São dez e vinte.
3. O relógio da estação bateu 11:30 há 7 minutos. Que horas são agora?
São onze e trinta e sete.
4. O trem partiu há 10 minutos, às 11:15. Que horas são agora?
São onze e vinte e cinco.
5. O ônibus chegou há meia-hora, às 12:45. Que horas são agora?
São onze e quinze.
6. No meu relógio são 8:00. Ele está atrasado 20 minutos. Que horas são agora? São oito e vinte.
7. No meu relógio são 5:00. Ele está atrasado 30 minutos. Que horas são agora? São cinco e meia.
8. No meu relógio são 7:30. Ele está adiantado 15 minutos. Que horas são agora? São sete e quinze.
9. No meu relógio são 4:05. Ele está adiantado 10 minutos. Que horas são agora? São cinco para às quatro.
10. Meu relógio está certo.  São dez e meia.

Fazendo compras

—Vamos depressa! Quero comprar um vestido novo para o baile de hoje à noite e as lojas vão fechar daqui a meia hora.

—Esta loja é nova. Veja! O vestido amarelo é muito elegante.

—Vou pedir à vendedora para me mostrar a blusa branca. Ela combina com a minha saia preta.

Daqui a — há

Ele vai partir *daqui a* dez dias.
Ele partiu *há* dez dias.

A. Complete:

1. (10 minutos) Ele vai abrir a loja ______________________.
2. (uma hora) Ele abriu a loja ______________________.
3. (meia hora) Nós vamos jantar ______________________.
4. (três dias) Eu estive no Rio ______________________.
5. (uma semana) Vocês chegaram de Londres ______________________.
6. (20 minutos) O avião vai chegar aqui ______________________.
7. (6 meses) Eles vão falar português muito bem ______________________.
8. (40 minutos) Eu pedi a sobremesa ______________________!
9. (15 dias) Eles vão receber notícias nossas ______________________.
10. (dois anos) O acidente aconteceu ______________________.

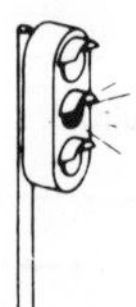

Masculino e feminino

Masculino	*Feminino*
o vestido novo	a blusa nova
o diretor inglês	a diretora inglesa
o banco alemão	a firma alemã
o cinema espanhol	a música espanhola
o livro interessante	a revista interessante
o bairro industrial	a cidade industrial
o trabalho difícil	a lição difícil
o moço feliz	a moça feliz
o homem comum	a mulher comum
o apartamento bom	a casa boa
o homem mau	a mulher má

o problema simples
a pergunta simples } algumas palavras terminadas em —es não mudam no feminino.

Cores

white blanc weiss	black noir schwarz	yellow jaune gelb	red rouge rot	blue bleu blau
branco branca	preto preta	amarelo amarela	vermelho vermelha	azul azul

green vert gruen	pink rose rosa	orange orange orange	brown brun braun	grey gris grau
verde verde	cor-de-rosa cor-de-rosa	laranja laranja	marrom marrom	cinza cinza

B. Passe para o feminino:

1. Meu irmão é um professor antigo.
2. (cidade) Meu país é muito grande.
3. (casa) O apartamento do meu vizinho é simples e confortável.
4. (revista/fotografias) Este jornal tem artigos muito interessantes.
5. (televisão) Quero comprar um rádio vermelho.
6. (folhas) Os papéis verdes estão na mesa.
7. (caixa) Os ladrões deixaram o cofre vazio.
8. (novela) Este filme foi bom.
9. Este cantor é um homem bom e amável.
10. (sala) Ele não gosta de banheiro cor-de-rosa.
11. (casa) Eles preferem um apartamento pequeno, num bairro comum.
12. Este senhor é elegante e conservador.
13. Meu irmão é cortês com os amigos.
14. (música) O filme é triste.
15. O marido de minha filha é um homem difícil.
16. (revista) O livro azul está no escritório do doutor.
17. (área) O senhor já foi ao novo bairro residencial?
18. (entrevista) O documentário deste diretor foi interessante, mas longo.
19. (estrada) Este rio é longo, estreito e escuro.
20. (blusa) O espião está com um chapéu cinza.

C. Complete:

1. (caro) Copos de cristal são ______________________.
2. (pequeno-confortável) Minha casa é ______________________, mas ______________________.
3. (famoso) As praias do Rio são ______________________.
4. (antigo/moderno) Este hotel é ______________________. Prefiro hotéis ______________________.
5. (alemão/moderno) Muitas cidades ______________ são ______________.
6. (mau) Esta idéia não é ______________________!
7. (espanhol/francês/americano) Gosto de música ______________, vestidos ______________ e carros ______________.
8. (simples/simples) Maria é uma mulher ______________ e mora num apartamento ______________.
9. (branco/azul/amarelo/cinza) Comprei duas blusas ______________, um vestido ______________, duas saias ______________ e um chapéu ______________.
10. (verde/bom) Estas bananas estão ______________, mas as laranjas estão ______________.
11. (azul/marrom) Hoje quero comprar duas saias ______________ e uma blusa ______________.
12. (residencial/tranqüilo) Valeu a pena comprar o apartamento num bairro ______________. A vida aqui é muito ______________.
13. (comum/feliz) Você acha que a mulher ______________ é ______________?
14. (industrial/japonês) Esta firma ______________ tem uma diretora ______________.
15. (bom/bom/grande) Este apartamento é ______________, mas esta casa não é ______________, porque é muito ______________ para nós.
16. (longo/interessante/bom) Ele escreveu uma carta ______________ e ______________, com notícias muito ______________.
17. (antigo/moderno/industrial/bonito) Salvador é uma cidade ______________, Brasília é uma cidade ______________, São Paulo é uma cidade ______________ e o Rio é uma cidade ______________.
18. (frio/quente) Não gosto de sopas ______________ e sobremesas ______________.
19. (difícil/interessante) Meu trabalho é ______________, mas ______________.
20. (velho/novo) Minhas bolsas estão ______________. Preciso comprar uma bolsa ______________.

Texto Narrativo — Rios do Brasil

Durante esta semana, às 11 horas da noite, o canal 9 está passando documentários sobre os rios do Brasil. Anteontem tivemos um filme sobre o Rio Amazonas. Foi muito interessante. O filme mostrou a famosa "pororoca" o encontro das águas deste rio com as águas do mar.

O filme de ontem foi sobre a construção da usina hidrelétrica de Itaipu, no Rio Paraná, na fronteira do Brasil com o Paraguai.

O filme de amanhã vai ser sobre o rio São Francisco, um grande rio, inteiramente brasileiro.

A. Responda:

1. Você gosta de assistir a documentários na televisão? Por quê?
2. No seu país, a televisão é exclusivamente comercial ou também educativa?
3. A televisão apresenta programas diferentes: música, entrevistas, filmes, documentários, jornal, novelas, etc. Que programa você prefere? Por quê?
4. O que você sabe sobre o rio Amazonas?
5. O que é a "pororoca"?
6. O Brasil pode construir muitas usinas hidrelétricas. Por quê?
7. O rio São Francisco é chamado "rio da unidade nacional". Por quê?
8. Há grandes rios no seu país?
9. Com que países o Brasil tem fronteiras?
10. E o seu país?

Veja também os mapas das páginas 304 e 305.

Ditado: Veja observação da pág. 9.

Unidade 6

Retrato falado

1.º Policial: —Alô! Alô! Todos os carros! Assaltaram a Joalheria Leão de Ouro. O suspeito é um homem branco, de mais ou menos 30 anos, alto e gordo, com cabelos e olhos castanhos. Cuidado! Ele está armado e é perigoso!

Mais tarde . . .

Testemunha: —Não, não é assim. Ele não é loiro. É moreno. O rosto dele é redondo e a testa é mais alta.

—Os olhos são grandes. Eu os vi bem, quando ele me empurrou. As sobrancelhas são bem grossas. Eu as vi muito bem.

2.º Policial: —E o nariz? É assim?

Testemunha: —É comprido e fino, tenho certeza.

2.º Policial: —E o queixo?

Testemunha: —Acho que o queixo é quadrado.

2.º Policial: —Assim?

Testemunha: —Assim mesmo.

2.º Policial: —E as orelhas? São assim?

Testemunha: —São. Pude vê-las direito. O cabelo é castanho e crespo.

2.º Policial: —Assim?

Testemunha: —Isto mesmo! Agora, deixe-me ver o retrato. Meu Deus! É este o homem! É ele mesmo, sem tirar nem pôr!

Meu tipo ideal

—Gostaria de conhecer um homem de 25 anos, alto, de cabelos pretos e lisos e olhos azuis.

— Tipo esportista ou intelectual?

— Esportista, claro.

—Ah! Eu, ao contrário, sempre quis conhecer um rapaz de tipo intelectual, magro e de voz suave. Sonho com ele todas as noites.

rosto
a orelha
o pescoço
o ombro
o cotovelo
os dedos da mão
a perna
o pé
cabeça
a testa
a sobrancelha
o nariz
a boca
o queixo
o peito
o braço
barriga
a mão
a cintura
o joelho
os dedos do pé

O Gordo

O Magro

A . Descreva o Magro. Estas palavras vão ajudá-lo:

gordo — magro
grande — pequeno
longo, comprido — curto
largo — estreito
grosso — fino
direito — esquerdo
redondo
quadrado
pontudo

loiro — moreno
liso — crespo
velho — jovem, moço
branco — preto

Ele é um homen muito magro e alto de mais ou menos quarenta anos. O rosto dele é longo e fino com as orelhas grandes e redondas. Os bracos dele e as pernas dele são ossudos. O pescoço dele é como que de avestruz. Ele está em pé com a posição ~~figo folha~~ como uma folha de figo

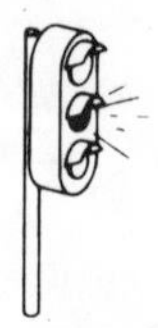

Modo Indicativo
Presente Simples

VER

Eu	vejo
Ele / Ela / Você	vê
Nós	vemos
Eles / Elas / Vocês	vêem

Modo Indicativo
Pretérito Perfeito

QUERER		**PODER**		**VER**	
Eu	quis	Eu	pude	Eu	vi
Ele / Ela / Você	quis	Ele / Ela / Você	pôde	Ele / Ela / Você	viu
Nós	quisemos	Nós	pudemos	Nós	vimos
Eles / Elas / Vocês	quiseram	Eles / Elas / Vocês	puderam	Eles / Elas / Vocês	viram

B. Eu sempre vejo meu amigo no escritório.

1. Ele sempre ______________ Mariana na praia.
2. Eles nunca ______________ Luís.
3. Aos domingos nós ______________ nossos amigos.
4. Vocês ______________ o diretor aos sábados?
5. Luísa ______________ Ana todos os dias na escola.
6. Eu nunca ______________ Teresa cantando.
7. Você sempre ______________ Lúcia no banco.

C. Eu nunca vi neve.

1. Vocês já ____________ neve?
   Não, nós nunca ____________.
2. Você ________ o acidente na avenida?
   ________, sim. Foi horrível.
3. Eu nunca ________ João cantando.
4. Ontem, eles me ________ na joalheria, mas eu não os ______.
5. Anteontem, ela ________ o diretor da firma jantando no clube.
6. Você ________ o ladrão correndo?
   ________, sim.

D. Complete com ver:

1. Ontem nós ____________ sua irmã na cidade.
2. Amanhã eu ____________ um bom filme.
3. Aos domingos, eles sempre ____________ os amigos.
4. Não gosto de ________ acidentes.
5. Você quer ________ este filme inglês?
   Não, prefiro ________ o filme francês.
6. Anteontem, eles ____________ o ladrão correndo.
7. Ela ________ a família depois-de-amanhã.
8. O que é que você ____________ agora?
   Eu ________ uma mulher. Ela está abrindo a bolsa.
9. Eu sempre ________ guardas andando pela cidade.
10. Você já ________ um elefante?
    Eu já ________, sim. No circo.

E. Complete com querer no Pretérito Perfeito:

1. Ele sempre ____________ conhecer a Europa.
2. Meus amigos ______________ me ajudar.
3. O ladrão ____________ assaltar esta mulher.
4. Nós ______________ ver este filme ontem.
5. Por que você ____________ entrar neste restaurante?
6. Francisco, por que seu irmão não ____________ ficar com você?
7. Sábado passado eles ______________ falar comigo.
8. Meu vizinho ____________ dar um presente para a filha dele.
9. Eu ____________ ir lá porque é mais tranqüilo.
10. Nós ______________ ficar em casa para ver o jogo.
11. Eu sempre ____________ conhecer a Europa.

F. Complete com poder no Pretérito Perfeito:

1. Todos ______ ver o jogo pela televisão.
2. Os jogadores não ______ viajar.
3. Por que ela não ______ assistir o filme?
4. Nós ______ ver o filme muito bem.
5. Ontem, o diretor não ______ atender os clientes.
6. Na terça-feira passada ele não ______ chegar cedo.
7. A empregada não ______ ir ao supermercado bem cedo.
8. Francisco, por que você não ______ falar com o diretor ontem?
9. Ela ______ ver muito bem o rosto do ladrão.
10. Eu não ______ reconhecer o ladrão pelas fotografias.
11. Ontem, eu ______ ver o filme de Carlitos.

G. Complete com querer e poder no Pretérito Perfeito:

1. Ontem eu ______ ir ao cinema, mas não ______. Meu dinheiro acabou.
2. Na semana passada, nós ______ falar com ele, mas não ______ porque ele saiu mais cedo.
3. Os turistas ______ conhecer esta igreja antiga, mas não ______ entrar. A igreja fechou às 5.
4. Ontem, os alunos ______ sair mais cedo, mas o diretor não permitiu.
5. Ontem, nós não ______ sair de casa. Ficamos para ver o jogo pela televisão.
6. Ontem, você ______ ver este jogo, mas não encontrou mais entradas.

Pronomes Pessoais

Eu vi o ladrão. Eu o vi.

Eu	me
Ele Ela Você	o, a (lo, la)
Nós	nos
Eles Elas Vocês	os, as (los, las, no, na, nos, nas)

H. Eu vi os rapazes. Eu os vi.

1. Ana viu *o irmão*. Ana *o* viu.
2. Ana viu a irmã. Ana ______________________________
3. Vocês viram os rapazes? ______________________________?
4. Nós vimos as moças no circo. ______________________________
5. Ela comprou a casa ontem. ______________________________
6. Mário fechou as janelas. ______________________________
7. Ela prepara o jantar em 10 minutos. ______________________________
8. Eles encontraram os professores no cinema. ______________________________
9. Maria, Lúcia visitou você ontem? ______________________________?
10. José, Lúcia visitou você ontem? ______________________________?

I. Complete:

1. (eu) Mário ________ visitou ontem à tarde.
2. (ela) Mário ________ encontrou na estação do metrô.
3. (você) Teresa, eu sempre ______ vejo na biblioteca.
4. (nós) Ele nunca ________ viu aqui.
5. (livros) Ela ________ vende na loja.
6. (moças) Ele ________ conheceu em Campos do Jordão.
7. (nós) O médico ________ atendeu às 4 horas.
8. (nós) Eles ________ conheceram no ano passado.
9. (José) Eu ________ acho interessante.
10. (cartas) Ele ________ recebeu antes do almoço.
11. (chave) Nós ________ guardamos no cofre do banco.
12. (eu) Francisco, você ________ esperou muito tempo?
13. (água) Eu não ________ quero gelada.
14. (sopa) Lúcia ________ prepara com cuidado.
15. (jornais) Eu ________ recebo de manhã.
16. (você) José, eu ________ atendo mais tarde.
17. (você) Marina, nós ________ atendemos depois.
18. (vocês) José e Francisco, nós sempre ________ vemos aqui.
19. (vocês) Marina e Lúcia, eu nunca ________ vejo aqui.
20. (vocês) Marina e Francisco. Nós nunca ________ vemos aqui.

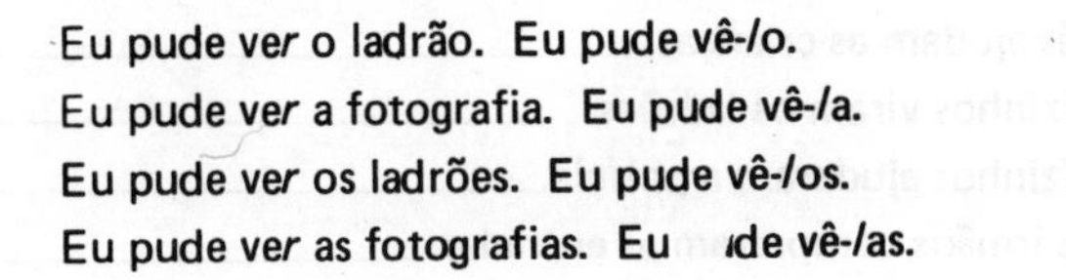

Eu pude ve*r* o ladrão. Eu pude vê-*l*o.
Eu pude ve*r* a fotografia. Eu pude vê-*l*a.
Eu pude ve*r* os ladrões. Eu pude vê-*l*os.
Eu pude ve*r* as fotografias. Eu pude vê-*l*as.

J. Quero fazer o trabalho. Quero fazê-lo.

1. Quero ver *o diretor*. Quero ____________.
2. Quero conhecer *esta diretora*. ____________.
3. Amanhã vamos visitar *nossos amigos*. ____________.
4. Que bom! Vamos comprar *esta bela casa*! ____________.
5. O diretor não quis atender *os clientes*. ____________.
6. Vou preparar *o aperitivo*. ____________.
7. Amanhã vamos atravessar *o rio Amazonas*. ____________.
8. Quero aprender *esta música*. ____________.
9. Vou encontrar *meus amigos* no restaurante. ____________.
10. Não posso abrir *a porta*. ____________.
11. (vender) Esta casa é muito grande para nós. Queremos ____________.
12. (comer) Que belas laranjas! Vamos ____________ todas.
13. (comprar) Gostei deste relógio. Vou ____________.
14. (esperar) Meus amigos vão chegar hoje e nós vamos ____________.
15. (conhecer) Brasília é uma cidade moderna. Quero ____________.
16. (abrir) O cofre está fechado. O diretor vai ____________
17. (visitar) Ela está no hospital há uma semana. Vamos ____________ amanhã.
18. (comprar) Veja que lindas flores! Vou ____________ para você.
19. (fazer) O trabalho é muito difícil. Não posso ____________.
20. (escrever) Estas cartas são urgentes. Você precisa ____________ imediatamente.

Eles vira*m* o ladrão. Eles vira*m-no*.
Eles vira*m* a fotografia. Eles vira*m-na*.
Eles vira*m* os ladrões. Eles vira*m-nos*.
Eles vira*m* as fotografias. Eles vira*m-nas*.

L. As secretárias escrevem as cartas. As secretárias escrevem-nas.

1. Os alunos abrem o livro. Os alunos ____________.
2. As crianças comeram os doces. ____________.
3. Meus filhos compraram os livros. ____________.
4. Vocês ajudam as crianças. ____________.
5. Os vizinhos viram os ladrões. ____________.
6. Os vizinhos ajudaram a polícia. ____________.
7. Meus irmãos compraram as entradas. ____________.

8. Os clientes beberam o café. ______________________.
9. Os turistas atravessaram o rio Amazonas. ______________________.
10. (comprar) Eles viram o relógio e eles ______________________.
11. (prender) Os guardas viram o ladrão e ______________________.
12. (levar) Eles convidaram as moças e ______________________ ao cinema.

Você está doente?

— Nossa! Seu rosto está vermelho. Você está doente?
— Não sei! Não estou me sentindo bem. Estou com dor de cabeça, dor de garganta e dor nas costas. Não posso falar nem andar.
— Acho que você está com febre.
— Vou à farmácia comprar um remédio para gripe.
— Acho melhor você ir ao médico.

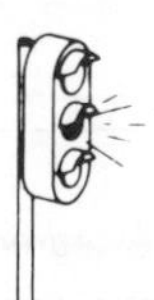

estar com dor de cabeça
estar com dor de garganta
estar com dor de ouvido
estar com dor de dente
estar com dor de estômago
estar com dor de barriga
estar com dor nas costas
estar com gripe
estar com tosse
estar com febre
estar resfriado, resfriada

A. Complete as orações:

1. Hoje vou ao dentista porque ______________________.
2. Sua testa está muito quente. Você ______________________.
3. Desculpe, mas hoje não posso falar. Estou ______________________.
4. Tomei chuva ontem e hoje ______________________. Atchim!
5. Nossa! A reunião foi longa e difícil. Estou ______________________.
6. ______________________ porque comi demais.
7. Não posso ouvir o cantor porque João, ao meu lado, ______________________.
8. ______________________ porque andei demais.
9. Você ______________________ porque falou demais.
10. Esta cama não é boa. Estou sempre ______________________.
11. Você está resfriada. E com febre, também! Acho que você ______________________.

Palavras cruzadas

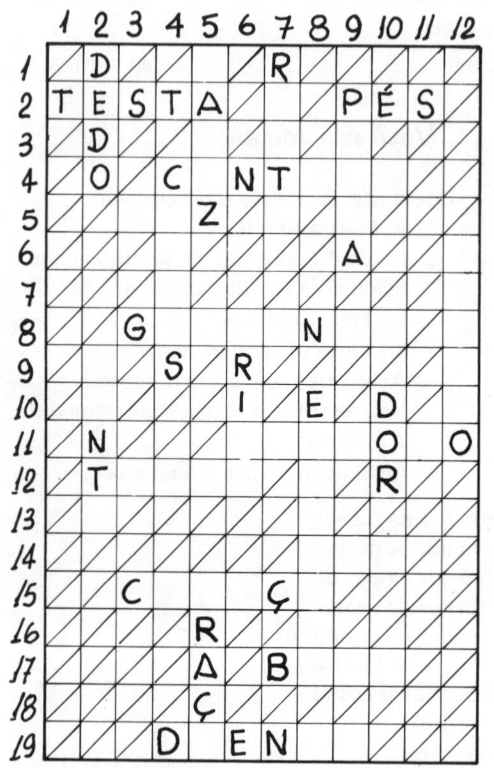

Horizontais

2. A __________ dele é alta.
   Os sapatos dele são enormes porque ele tem ________ grandes.
4. Estou mais gorda. Minha saia não fecha na __________.
5. Gosto de ouvi-lo falar. Ele tem uma ________ muito agradável.
8. Falei o dia inteiro. Estou com dor de __________.
11. O __________ fica entre a cabeça e o peito.
12. Não posso ouvir o professor porque João, ao meu lado, está com __________.
14. Tire a ________ daí.
15. Ele pôs o chapéu na ________ e saiu de casa.
17. Não abra a ________. É segredo.
19. Você não está bem. Acho que você está __________.

Verticais

2. Veja as mãos dele! Ele aponta com o __________.
   Vou ao dentista hoje. Estou com dor de __________.
4. Minha cama não é confortável. Estou sempre com dor nas __________.
5. Ele tem um __________ comprido e fino.
   Ela me ajuda muito. Ela é meu __________ direito.
6. Você está com febre. Acho que é ________.
7. O __________ dele é redondo.
8. Comi demais! Ai! que dor de __________.
9. Ele é alto porque tem __________ comprida.
10. Ai! que ________!
12. O __________ dele é quadrado.

Crase

Vou ao médico. (a + o = ao)
Vou à farmácia. (a + a = à)
Ela escreve aos amigos. (a + os = aos)
Ela escreve às amigas. (a + as = às)

B. Complete:

1. Vamos primeiro_____ banco e, depois,_____ Prefeitura e _____ biblioteca.
2. Mostrei meus planos_____ diretor e _____ secretárias.
3. Ontem à noite ofereci um coquetel_____ amigos de meu marido.
4. Não gosto de assistir_____ televisão_____ noite. Prefiro ir_____ praça e conversar com meus amigos.
5. Vamos_____ aeroporto receber nossos amigos. Eles estão voltando da Europa. Eles foram_____ México,_____ Estados Unidos,_____ Bermudas,_____ Espanha,_____ França,_____ Itália,_____ Alemanha, _____ Grécia e_____ Japão.

C. Não posso falar nem andar. ou Não posso nem falar nem andar.

1. (Nós/comer/dormir). Nós não podemos _____________.
2. (Francisco/ler/escrever) _____________.
3. (Eu/andar/falar) _____________.
4. (Vocês/dormir/trabalhar) _____________.
5. (Ela/entrar/sair) _____________.

D. Queremos chá e café. Não queremos chá nem café.
ou
Não queremos nem chá nem café.

1. Gosto de teatro e de cinema. Não gosto _____________.
2. Ontem assisti ao jogo e ao filme. _____________.
3. Ontem saímos com Paulo e com Elisabete. _____________.
4. O ladrão é alto e moreno. _____________.
5. Eles querem leite e chocolate. _____________.
6. Esta casa é velha e feia. _____________.
7. Esta casa é grande e antiga. _____________.
8. Meus filhos sempre comem doces e frutas. Meus filhos nunca _____________ _____________.
9. Você sempre compra chocolate e frutas para eles. _____________ _____________.
10. Eles sempre viajam de avião ou de carro. _____________.

A gravata

Linguagem Popular

– Chico, tem muita gravata bonita nesta loja. Você não quer comprar uma prá usar lá no escritório? Não tá caro, não.
– Vou comprar, Zé, mas é prá mostrar pros amigos no baile do sábado.
– Você vai no baile?
– Claro, Zé! Você também não vai?

Linguagem Correta

– Francisco, há muitas gravatas bonitas nesta loja. Você não quer comprar uma para usá-la no escritório? Não está caro, não.
– Vou comprá-la, José, mas é para mostrá-la para os amigos no baile do sábado.
– Você vai ao baile?
– Claro, José! Você também não vai?

A. Passe para a linguagem correta:

Ontem eu fui no consultório do Dr. Fagundes. No consultório dele tem sempre um monte de gente. Ele disse que eu tou bem. Só minhas costas não tão em ordem. Depois de falar com o doutor, eu fui na farmácia, comprei o remédio, voltei prá casa e tomei bem depressa. Uh! Que negócio horrível!

___

___

___

___

___

___

___

Texto Narrativo – Brasília

Brasília é a capital do Brasil desde 1960. Está situada no coração do país para tornar a sede do governo federal mais acessível a todos os brasileiros.
Esta cidade é famosa no mundo inteiro pelo seu plano e, principalmente, pelo estilo inconfundível de suas construções. O plano-piloto, que orienta a construção da cidade, foi criado pelo urbanista Lúcio Costa. São dois eixos que se cruzam: o Eixo Rodoviário, no sentido norte-sul e o Eixo Monumental, no sentido leste-oeste. À noite, com suas luzes acesas, eles são como um grande avião. Os prédios principais, na Praça dos Três Poderes, são o cartão postal da cidade: o Congresso Nacional, o Supremo Tribunal Federal e o Palácio da Alvorada, sede do governo. As colunas leves deste palácio são o símbolo de Brasília.
É muito difícil citar todas as construções inconfundíveis da Novacap. A figura da Catedral é como duas mãos em oração. O palácio dos Arcos, sede do Ministério das Relações Exteriores, com suas linhas de grande beleza e seu jardim aquático, reúne os nomes de dois artistas extraordinários: o arquiteto Oscar Niemeyer e o paisagista Burle Marx.

A. Responda:

1. Qual é a atual capital do Brasil? Quais foram as duas primeiras capitais?
2. Por que o plano-piloto é importante?
3. Explique o plano-piloto. Que imagem ele sugere?
4. O que há na Praça dos Três Poderes?
5. Qual é o símbolo de Brasília?
6. Que imagem sugere a Catedral?
7. Observe as fotografias de Brasília. Qual a construção que você acha mais bonita? Por quê?
8. Você já conhece Brasília? É bom morar lá? Por quê?
9. Quais artistas ficaram famosos com Brasília?
10. Por que foi criada Brasília?

Faça agora o Teste 3, do Caderno de Testes.

Unidade 7

Fazendo compras

Sílvia: — Quanta gente na loja! Parece que todo mundo resolveu fazer compras hoje!

D. Vera: — Venha, Sílvia. Vamos até a seção de utilidades domésticas.

Quero ver uma nova máquina de lavar roupa. A minha quebrou e não tem mais conserto.

Vendedor: — A senhora já viu os novos modelos da máquina "Alvorada"? Ela faz tudo: lava e seca a roupa muito bem.

Vou lhe dar um folheto.

D. Vera: — Mas todas as máquinas modernas fazem isto.

Vendedor: — A senhora diz isto porque não conhece a nossa.

Ela é muito mais econômica. A senhora põe um monte de roupa na máquina. E agora veja: só um pouco de sabão em pó.

D. Vera: — É verdade. É bem econômica. E tem garantia?

Vendedor: — Claro. Damos garantia de um ano.

D. Vera: — Vou pensar um pouquinho. Obrigada.

Simples ou extravagantes

– Gostaria de ver uns óculos de sol, com lentes verde-claro.
– Temos os melhores artigos. Aqui estão os últimos modelos para o verão.
– São muito extravagantes. Gostaria de comprar uns óculos mais simples. O senhor não tem outros?

Modo Indicativo

FAZER

Presente		Pretérito Perfeito	
Eu	faço	Eu	fiz
Ele / Ela / Você	faz	Ele / Ela / Você	fez
Nós	fazemos	Nós	fizemos
Eles / Elas / Vocês	fazem	Eles / Elas / Vocês	fizeram

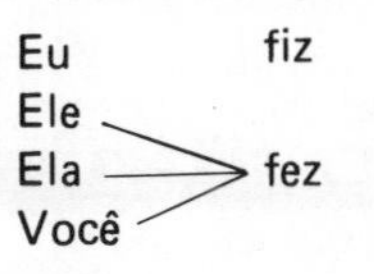

DAR

Presente		Pretérito Perfeito	
Eu	dou	Eu	dei
Ele / Ela / Você	dá	Ele / Ela / Você	deu
Nós	damos	Nós	demos
Eles / Elas / Vocês	dão	Eles / Elas / Vocês	deram

PÔR

Presente		Pretérito Perfeito	
Eu	ponho	Eu	pus
Ela / Ela / Você	põe	Ele / Ela / Você	pôs
Nós	pomos	Nós	pusemos
Eles / Elas / Vocês	põem	Eles / Elas / Vocês	puseram

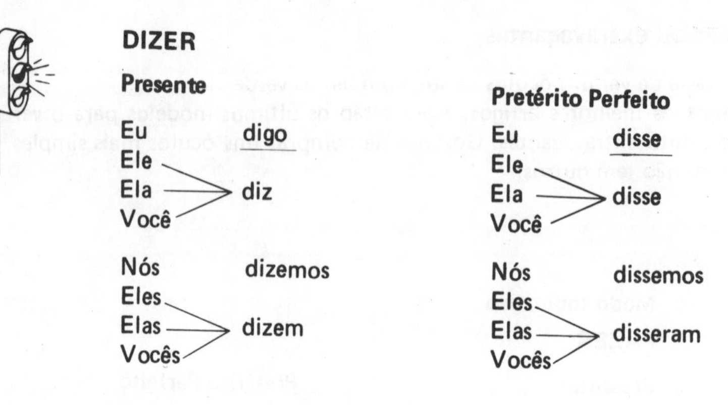

A. Eu faço café para meus amigos.

1. Eu ________ minhas lições à noite.
2. Nossa fábrica ________ mesas e cadeiras.
3. Nós ________ máquinas industriais.
4. Eles ________ filmes sobre o rio Amazonas.
5. O senhor ________ compras neste super-mercado?
6. Vocês ________ compras na loja nova?
7. Vera e Alice ________ planos complicados.
8. Este restaurante ________ uma boa canja.
9. Nós ________ feijoada para os amigos.
10. Eu ________ viagens para a Europa.

B. Passe A para o Pretérito Perfeito.

C. Ela dá um presente para o amigo.

1. Ele ________ o folheto para o amigo.
2. Ela ________ todas as informações para a polícia.
3. Meus filhos ________ uma festa por semana.
4. Você também ________ muitas festas?
5. As firmas não ________ informações pelo telefone.
6. Nós ________ um jantar aos nossos amigos no sábado.
7. Eu ________ o número do meu telefone só para os amigos.
8. Ele não nos ________ o troco certo.
9. Você não me ________ muitas explicações.
10. A fábrica ________ garantia de um ano.

D. Passe C para o Pretérito Perfeito.

E. Ele põe a carta no Correio.

1. Minha filha __________ o uniforme para ir à escola.
2. André __________ a gravata nova.
3. As crianças __________ os brinquedos no armário.
4. Nós __________ os cartões postais no Correio.
5. Eu __________ as chaves na gaveta.
6. A senhora __________ dinheiro no banco?
7. Você __________ a mesa para o almoço?
8. O dono da loja __________ o vestido na vitrina.
9. Eu __________ o jornal e a revista na minha pasta.
10. Nós __________ a mesa para o jantar.

F. Passe E para o Pretérito Perfeito.

G. Ele diz a verdade.

1. Eles __________ sempre a verdade.
2. Nós sempre __________ "sim" para eles.
3. Ele __________ "até-logo" quando sai.
4. Eu __________ "bom dia" quando chego no escritório.
5. O senhor __________ "boa-noite" quando vai dormir?
6. Esta criança __________ a verdade?
7. Estas crianças __________ muitas mentiras.
8. Você __________ que vai visitá-la.
9. Eu __________ que vou encontrá-lo no metrô.
10. Nós __________ "obrigado".

H. Passe G para o Pretérito Perfeito.

A prazo ou à vista?

– Este é o carro do ano. Observe suas linhas modernas e o seu motor potente e silencioso.
– É bonito. E parece bom. Quanto custa?
– 600 mil cruzeiros ... Mas facilitamos o pagamento. Com uma pequena entrada e o saldo em 15 prestações, este carro é seu.
– Não quero comprar o carro a prazo. Quero comprar à vista.
– À vista? À vista?? Não sei se é possível. Preciso consultar nosso gerente.

Vou lhe dar um folheto.

Eu	me	me
Ele Ela Você	o, a (lo, la)	lhe
Nós	nos	nos
Eles Elas Vocês	os, as (los, las-nos, nas)	lhes

I. Dei um folheto para ele = Dei-lhe um folheto.

1. Escrevi uma carta para ele. Escrevi-_____ uma carta.
2. Vou oferecer um jantar para eles. Vou oferecer-_____um jantar.
3. Vou apresentar meus amigos para elas. Vou apresentar- _________meus amigos.
4. João, telefono para você amanhã. _______________________________.
5. O vendedor mostrou as novas máquinas para ele. _______________________________
_______________________.
6. Ele viu o diretor e deu-______o folheto.
7. (apresentar) Ontem eles viram Sílvia e __________ ____um amigo.
8. (telefonar) Queremos visitar os Vieira. Vamos_______ _____agora mesmo.

9. (dizer) Vou ver os novos engenheiros e ________ - ______ a verdade.
10. (entregar) Vou ver os novos engenheiros e ________ - ______ os novos modelos.

J. O meu livro está na mesa. E o seu (livro), onde está?

1. (eu/você) __________ casa é grande. E ____ ______?
2. (eu/você) __________ irmãs moram na Holanda. E ____ ______?
3. (eu/você) __________ pai trabalha na Ford. E ____ ______?
4. (eu/você) __________ livros estão no armário. E ____ ______?
5. (você/ele) __________ amigo vai almoçar aqui. E ____ ______?
6. (você/ele) __________ amigos vão almoçar aqui. E ____ ______?
7. (você/ela) Nós já vimos __________ trabalhos. E ____ ______, onde estão?
8. (vocês/eles) Nós já lemos __________ cartas. E ____ ______, onde estão?
9. (eles/elas) Nós já falamos com os pais __________. E ____ ______, onde estão?
10. (eles/elas) Nós já falamos com a mãe __________ E. ____ ______, onde está?

todo o — Ele conhece todo o livro (= o livro inteiro)
toda a — Nós conhecemos toda a fábrica. (= a fábrica inteira)
todos os — Ele conhece todos os livros deste escritor.
todas as — Ele conhece todas as fábricas da cidade.
tudo — Ele conhece tudo.

L. Complete:

1. Nós conhecemos ______ ____ alunos da escola.
2. Ela sempre experimenta __________ __________ modelos desta loja.
3. Para conhecer a nova máquina ela ficou __________ ____ manhã na loja.
4. Este ônibus passa por ______ ____ ruas da pequena cidade.
5. O vendedor explicou __________ para o cliente.
6. A empregada limpa __________ __________ casa, ________ ______ dias.
7. ______ ____ lugares deste cinema estão ocupados.
8. As crianças comeram __________.
9. Ela fala __________ o que sabe.
10. Nós conhecemos __________ sobre o rio Amazonas.
11. Nós assistimos a ______ ____ programas deste canal.
12. Eles vão viajar e já prepararam ______ ____ papéis.
13. Eles vão viajar e já prepararam __________.
14. ______ ____ nossos amigos estão aqui.
15. Encontrei __________ em ordem.

Propaganda

— Você sempre fala pelos cotovelos, mas hoje está quieta. O que aconteceu?

— Nada.

— Vamos, conte-me tudo. Você brigou com seu namorado?

— Briguei. E ele agora tem outra namorada. Isto sempre acontece comigo.

— É, eu sei. Você sempre está com dor-de-cotovelo. Você já experimentou "Maravilha", a nova pasta de dente?

— Não. Por quê?

— "Maravilha" faz milagres: perfuma o hálito e traz alegria para seu sorriso. Experimente "Maravilha".

Seis meses depois . . .

— Vejam! "Maravilha" trouxe-me a felicidade. Use, você também, "Maravilha". Ela está à venda nas boas farmácias de seu bairro.

Modo Indicativo

TRAZER

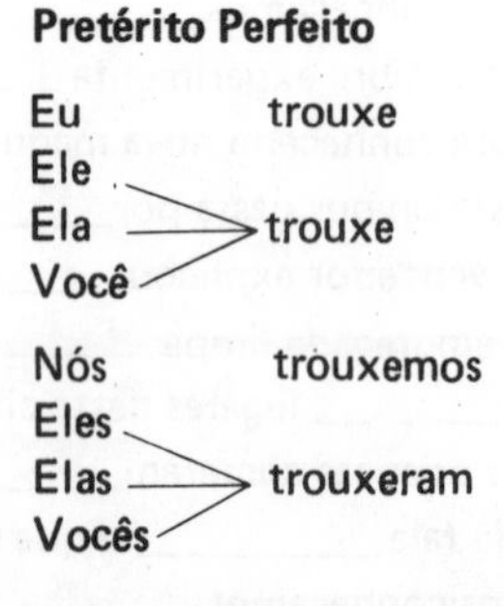

Presente		**Pretérito Perfeito**	
Eu	trago	Eu	trouxe
Ele / Ela / Você	traz	Ele / Ela / Você	trouxe
Nós	trazemos	Nós	trouxemos
Eles / Elas / Vocês	trazem	Eles / Elas / Vocês	trouxeram

A. Ele <u>traz</u> boas notícias.

1. **Todos os dias ele___________a filha aqui.**
2. **Nem sempre os jornais___________a verdade.**
3. **O padeiro___________ pão e o leiteiro ___________ leite.**

4. E o jornaleiro? O jornaleiro__________ o jornal.
5. Fique sentado. Eu lhe__________o café aqui.
6. Os programas de televisão__________muita propaganda.
7. Eu sempre__________ meu relatório para nosso gerente.
8. Os carteiros__________cartas.
9. As mocinhas__________ folhetos de propaganda.
10. Nós__________o livro para a aula de português.

B. O telegrama trouxe boas notícias.

1. Ela__________cafezinho para as visitas.
2. Eu __________ meu namorado para minha família conhecer.
3. Você já __________ as cadeiras aqui para a sala?
4. Nós __________ tudo para a feijoada de sábado.
5. Eles __________ as bebidas para a festa.
6. Quem __________ o cantor para cá?
7. Eu não__________ meus óculos.
8. Eles __________ dinheiro do banco?
9. Esta máquina só nos __________ problemas.
10. Nós__________ biscoitos para o chá.

Expressões

– Ela não pára de falar. Ela *fala pelos cotovelos.*
– João tem agora outra namorada, e Alice *está com dor-de-cotovelo.*
– Não entendi este filme. Ele *não tem pé nem cabeça.*
– Ele quer nosso carro. Ele *está de olho no nosso carro.*
– Ela me ajuda muito. Ela *é meu braço direito.*
– Parece que ele não é honesto. *Estou com a pulga atrás da orelha.*
– Isto é segredo. Cuidado para não *dar com a língua nos dentes.*
– Você pode me contar tudo. Sou *todo ouvidos.*
– Ele chegou de madrugada e entrou *pé ante pé.*

C. Complete as sentenças:

1. Sílvia fala demais. Ela__________________, mas eu não entendo nada do que ela diz, porque as estórias que ela conta __________ __________________.
2. Minha secretária Luísa me ajuda muito. Ela é__________________. Mas não lhe posso contar meus segredos porque ela não é discreta. Ela sempre__________________.
3. Francisco está __________________________ porque André é agora o chefe do escritório.

4. ______________________ porque nossa filha está saindo muito com Luís. Acho que ele ______________ no nosso dinheiro.
5. Gosto de contar meus problemas a Marcos. Ele ______________.
6. Não ouvimos o ladrão porque ele entrou ______________.

Verbos - revisão
Complete:

1. (fazer/pôr/dizer) Todas as manhãs, eu ________ café, ________ a mesa e ________ bom-dia para as crianças.
2. (fazer/pôr/dizer) Todas as manhãs, a cozinheira ________ café, ________ a mesa e ________ bom-dia para as crianças.
3. (fazer/pôr/dizer) Todas as manhãs, nós ________ café, ________ a mesa e ________ bom-dia para as crianças.
4. (trazer/pôr) Ontem ele ________ a televisão e a ________ na sala.
5. (trazer/pôr) Amanhã ele ________ a televisão e ________-la na sala.
6. (dizer/fazer) Tomás e Vera ________ que ________ uma bela viagem pelos Estados Unidos há seis meses.
7. (trazer/dar) Eu sempre ________ as crianças aqui para o clube e ________-lhes dinheiro para sorvete.
8. (fazer/pôr) Sílvia, o que você está ________ agora? Estou ________ o uniforme para ir à escola.
9. (dizer/pôr/fazer) Há quinze minutos, Sílvia me ________ que ________ a mesa e ________ o almoço.
10. (pôr/fazer) Ontem eu ________ a mesa e ________ o chá.

"O carro do ano"

Texto Narrativo — São Paulo e as feiras industriais

São Paulo é a maior cidade do Brasil e é a capital do estado que tem o mesmo nome.

Em 25 de janeiro de 1554 os jesuítas fundaram um pequeno colégio no planalto de Piratininga, a 700 metros acima do nível do mar, para catequisar os índios. A posição da pequena aldeia era desfavorável para seu desenvolvimento porque estava separada do mar pela floresta e pela Serra do Mar. No entanto, a aldeia, a partir do século XIX, cresceu sem parar por causa do trabalho de seus habitantes.

O café, principal produto de sua agricultura, foi fator importante no seu desenvolvimento. A riqueza trazida pelo café fez nascer a indústria paulista. Hoje São Paulo é o maior centro industrial brasileiro. Todos os tipos de produtos, desde sapatos até máquinas pesadas e aviões, são fabricados aqui e exportados para todo o mundo.
Estes produtos são apresentados ao público anualmente, em grandes feiras industriais: o Salão do Automóvel, Feira de Utilidades Domésticas, Feira da Indústria Mecânica, de produtos têxteis, elétricos, eletrônicos, etc.
Estas feiras movimentam a cidade e são uma atração turística.

A. Faça as perguntas:

1. ____?
   A maior cidade do Brasil é São Paulo.
2. ____?
   Os jesuítas fundaram São Paulo em 1554.
3. ____?
   Porque a aldeia estava separada do mar pela floresta e pela Serra do Mar.
4. ____?
   Porque ele fez nascer a indústria paulista.
5. ____?
   São Paulo fabrica produtos de todos os tipos, desde sapatos até aviões.
6. ____?
   Os produtos da indústria paulista são apresentados ao público em grandes feiras industriais.
7. ____?
   São Paulo é hoje uma cidade industrial conhecida em todo o mundo.

São Paulo da garoa

Letra/Música de Murilo Alvarenga
(da dupla Alvarenga e Ranchinho)

Ê, ê, ê São Paulo,
Ê São Paulo,
São Paulo da garoa,
São Paulo, que terra boa!

São Paulo das noites frias
Ao cair da madrugada,
Das campinas verdejantes
Cobertas pela geada.

Ditado: Veja observação da pág. 9.

Unidade 8

Falando de televisão

Ele: – Já são dez horas. Amélia ainda está dormindo?
Ela: – Ainda.

Ontem ela ficou acordada até tarde vendo um filme policial.

Ele: – Você também viu o filme?
Ela: – Não.

Antigamente eu gostava desses filmes e não saía de casa só para vê-los.

Agora não tenho mais paciência para isso.

Hoje em dia prefiro ler um bom livro.

Ele: – Para mim a televisão é interessante.

À noite, quando a gente está cansado,
nada melhor que uma poltrona e
um bom programa de televisão.

Por falar nisso, onde está o jornal?
Quero saber o que vai passar hoje.

Ela: – Se não me engano, está com o Antônio.

Ele o estava lendo, quando entrei na sala.

Não vale a pena

— Pedro, vamos ao clube hoje? Todo sábado eles passam um filme e depois há um bom jantar. Você sabia?

— Sabia, sim, mas não vale a pena. Já estive lá muitas vezes e era sempre a mesma coisa: anunciavam um filme, passavam outro; convidavam todo mundo e não havia lugar para todos. Afinal me cansei e resolvi arranjar coisa melhor para o sábado.

Modo Indicativo

Imperfeito

MORAR

Eu	morava
Ele / Ela / Você	morava
Nós	morávamos
Eles / Elas / Vocês	moravam

VENDER

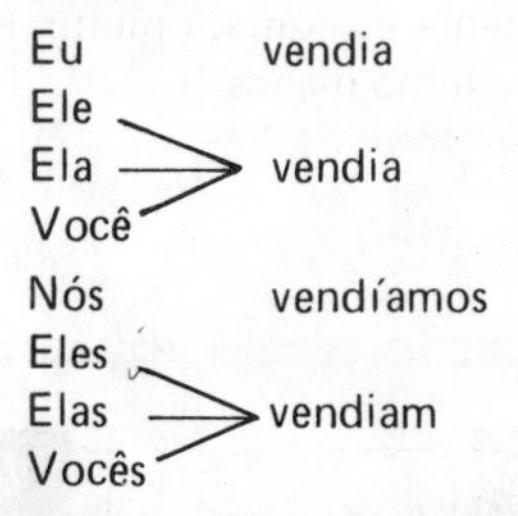

Eu	vendia
Ele / Ela / Você	vendia
Nós	vendíamos
Eles / Elas / Vocês	vendiam

ABRIR

Eu	abria
Ele / Ela / Você	abria
Nós	abríamos
Eles / Elas / Vocês	abriam

SER

Eu	era
Ele / Ela / Você	era
Nós	éramos
Eles / Elas / Vocês	eram

TER

Eu	tinha
Ele / Ela / Você	tinha
Nós	tínhamos
Eles / Elas / Vocês	tinham

PÔR

Eu	punha
Ele / Ela / Você	punha
Nós	púnhamos
Eles / Elas / Vocês	punham

Antigamente eu fumava muito. Hoje em dia fumo menos.

Ele era loiro e tinha olhos azuis.

Ela estava dormindo, quando ele chegou.

Enquanto ele via televisão, ela cantava.

A. Antigamente eu gostava desses filmes.

1. (comprar) Antigamente eu ________ tudo nesta loja.
2. (fumar) Antigamente ele não ________ muito.
3. (estudar) Antigamente nós todos ____________ nesta escola.
4. (vender) Antigamente eles ________ estas máquinas só a vista.
5. (comer) Antigamente ele ________ muito pouco.
6. (atender) Antigamente nós ____________ os clientes no 1º andar.
7. (ir) Antigamente a gente ________ à escola a pé.
8. (ir) Antigamente a gente ____________ daqui até a cidade em 10 minutos.
9. (ir) O senhor ________ muito à Europa antigamente?
10. (ser) Ele ________ bom aluno, quando criança.
11. (ser) Nós ________ bons amigos, quando crianças.
12. (ser) Antigamente eu ________ muito amigo dele.
13. (ser) As senhoras ________ felizes aqui antigamente.
14. (ter) Antigamente estas cidades ________ ruas calmas, com muitas árvores.
15. (ter) Antes este canal ________ bons programas.
16. (pôr) Ela sempre ________ flores no vaso.
17. (pôr) As crianças sempre ________ roupa nova no Natal.
18. (pôr) Todas as manhãs ele ________ chapéu antes de sair.
19. (pôr) Vocês sempre ________ muito açúcar no café.
20. (morar/trabalhar) Antigamente eles ________ no subúrbio e ________ na cidade.
21. (ser/ter) Ele ________ médico e ________ consultório na cidade.
22. (dormir/andar) Antigamente a gente ________ pouco e ________ muito.
23. (chegar/sair) Antes a senhora ________ às 8 e ________ ao meio-dia.
24. (ler/escrever) Quando moço, ele ________ e ________ o dia inteiro.
25. (ser/ter) Antigamente nós ________ ricos e ________ uma casa confortável.
26. (fazer/dar) Antigamente ele ________ brinquedos e ________-os às crianças do bairro.
27. (ter/pôr) Antigamente, quando a gente ________ uma festa, a gente ________ roupa nova.
28. (comprar/vender) Antigamente a gente ________ e ________ casas e apartamentos.
29. (começar/acabar) No ano passado as aulas ________ à 1 e ________ às 5.
30. (ser/ir/ter) Quando nós ________ crianças, ________ a pé para a escola porque nossa família não ________ carro.

B. Ele era loiro e tinha olhos azuis.

1. (ficar/ser/ter) Nossa casa __________ no subúrbio, __________ grande e __________ um belo jardim.
2. (estar/ter) A rainha da primavera __________ de azul e __________ flores no cabelo.
3. (ser/estar) As portas __________ grandes e __________ fechadas.
4. (ter/estar) O teatro __________ muitas poltronas, mas __________ cheio.
5. (estar/ter) Nós __________ resfriados e __________ um pouco de febre.
6. (ser/ter) Eles __________ altos e __________ pernas compridas.
7. (estar/haver) O escritório __________ às escuras porque não __________ ninguém lá.
8. (estar/ser/ter) O carro que __________ na garagem __________ antigo e __________ quatro portas.
9. (estar/ter) As salas __________ geladas porque não __________ lareira.
10. (ser/ser) Quando nós __________ crianças, a cidade __________ mais bonita.

C. Ela estava dormindo, quando ele chegou.

1. (almoçar/tocar) Eu estava almoçando, quando o telefone tocou.
2. (escrever/chegar) Ele __________ uma carta, quando seus amigos __________.
3. (ler/apagar) Nós __________ um livro, quando a luz __________.
4. (pôr/começar) Ele __________ o carro na garagem, quando __________ a chover.
5. (ver/começar) Vocês __________ as vitrinas, quando __________ a chover.
6. (chegar/começar) Nós __________ em casa, quando __________ a chover.
7. (partir/chegar) O trem __________, quando __________ à estação.
8. (ver/apagar) As crianças __________ televisão, quando a luz __________.
9. (comprar/ver) Luís __________ o jornal, quando __________ seu amigo Jorge.
10. (morar/comprar) Eu __________ em Nova York, quando ele __________ a fábrica.
11. (sair/roubar) Ela __________ da loja, quando o ladrão __________ sua bolsa.
12. (sair/acabar) Quando seus pais __________, as crianças __________ de jantar.
13. (entrar/fazer) Quando o diretor __________, as alunas __________ as lições.

14. (apagar/pôr) Quando a luz ______________, a empregada ___________ a mesa para o jantar.
15. (tocar/brigar) Quando o telefone ____________, Ana ______________ com Alice.
16. (pôr/quebrar) Ana ______________ a mesa, quando __________ os copos.

D. Ela cantava, enquanto ele via televisão.
ou
Ela estava cantando, enquanto ele estava vendo televisão.

1. (escrever/falar) Joana ______________, enquanto João ______________.
2. (preparar/escrever) Enquanto nós ______________ o jantar, eles _______ cartas.
3. (dormir/trabalhar) A gente ____________, enquanto vocês ____________.
4. (trabalhar/descansar) Enquanto nós ____________, eles ____________.
5. (ir/ir) Enquanto nós ______________ para o Rio, eles ______________ para Curitiba.
6. (ver/fazer) Ela ______________ televisão enquanto ______________ tricô.
7. (assistir/ler) Nós ______________ televisão enquanto ele ____________ o jornal.
8. (falar/pensar) Enquanto ela ______________, ele ______________ em seus problemas.
9. (viajar/aprender) Enquanto ______________ pela Inglaterra, ele _______ inglês.
10. (pôr/fazer) Enquanto ela ______________ a mesa, eu ____________ o chá.
11. (preparar/fazer) Nós ______________ o café enquanto eles _________ os sanduíches.
12. (esperar/esperar) Enquanto eu ______________ Maria no banco, ela me ______________ na esquina.
13. (cortar/fazer) Enquanto ele ________________ o cabelo no barbeiro, eu ______________ compras.
14. (dormir/trocar) Eles ________________ dentro do carro enquanto eu ______________ o pneu.
15. (assaltar/ver) Enquanto os ladrões ______________ minha joalheria, eu ______________ um filme policial pela televisão.

E. Leia este texto:

Eles estão na sala vendo televisão, quando a luz se apaga. A casa toda fica às escuras. A empregada, que está pondo a mesa para o jantar, pára o serviço e vai para a cozinha.

O programa que estão vendo é muito interessante: uma história de Sherlock Holmes. O filme pára quando o detetive está reunindo provas para mostrá-las à polícia. Naturalmente, eles vão perder o final do filme.

F. Escreva novamente o texto, começando assim: "Ontem eles ... "

____

____

____

____

____

____

____

Comparativo

Mariana é *tão* alta *quanto* Paulo.

Mariana é *menos* alta *(do) que* Paulo.

Mariana é *mais* alta *(do) que* Paulo.

bom ⟶ melhor
mau ⟶ pior

grande ⟶ maior
pequeno ⟶ menor

G. O filme de hoje é tão interessante quanto o filme de ontem.
O filme de hoje é mais interessante (do) que o filme de ontem.
O filme de hoje é menos interessante (do) que o filme de ontem.

1. (caro) O jantar no restaurante é __________________ do que o jantar na lanchonete.
2. (longo) A viagem para o Japão é ________________ do que a viagem para os Estados Unidos.
3. (velho) Londres é _____________ do que Brasília.
4. (tranqüilo/agitado) Antigamente a gente tinha uma vida ____________ e ________________________ do que agora.
5. (pequeno) Esta cidade é _______________ do que São Paulo?

6. (grande) Esta cidade é ______________ que São Paulo.
7. (alto) De Gaulle era ______________ do que John Kennedy.
8. (bom) Este restaurante é ______________ quanto o "Maxims" de Paris.
9. (mau) Não gosto de filmes antigos. Eles são ______________ do que os filmes modernos.
10. (mau) Não falo bem nem inglês e nem francês. Meu inglês é ______________ quanto meu francês.
11. (bom) Os carros americanos são ______________ do que os carros europeus?
12. (econômico) Os carros grandes são ______________ do que os carros pequenos.
13. (quente) O Saara é ______________ do que o Rio de Janeiro.
14. (quente) O Rio de Janeiro é ______________ do que o Saara.
15. (caro) O Rolls Royce é ______________ do que o Volkswagen.
16. (caro) O Volkswagen é ______________ do que o Rolls Royce.
17. (bom) João e Pedro são bons professores. João é um professor ______________ quanto Pedro.
18. (frio) Nova York é ______________ do que a Sibéria.
19. (bom/grande) O DC10 é ______________ quanto o Jumbo, mas o Jumbo é ______________.
20. (rápido/pequeno) O Jumbo é tão ______________ o DC10, mas o DC10 é ______________.

Todos andam contentes...

— Nosso diretor *anda* contente porque agora *existem* muitas máquinas modernas na fábrica.

— Eu também *estou* contente. *Há* muitas moças bonitas por lá . . .

H. Substitua os verbos <u>estar</u> e <u>haver</u> (há, havia) por <u>andar</u> e <u>existir</u>:

1. A cidade está calma porque há muitos guardas nas ruas.
2. Nós estávamos preocupados porque havia muitos ladrões nas ruas.
3. Ele está feliz com o casamento da filha.
4. Há muitos livros em várias línguas sobre este país.
5. Eu estava contente com o novo secretário.

6. Estas crianças estão muito contentes porque há muitos brinquedos novos nas lojas.
7. Havia vários artigos interessantes nesta revista.
8. A situação econômica não está muito boa. Há vários problemas sem solução.
9. Os programas deste canal não estão interessantes. Há muita propaganda nos intervalos.
10. Meu filho não está bem e há muitas explicações para isto.

Os quindins de laiá

— Quem vem amanhã para o seu aniversário?
— Só alguns colegas da escola. Quero fazer quindins, mas não sei como.
— Li essa receita ontem mesmo. Mas onde está? Ah! achei. Está aqui. Ouça:

Quindins de Coco

1 prato fundo de açúcar
1 coco grande ralado
10 gemas
2 ovos
1 colher de sopa de manteiga

— E depois?
— É muito fácil. Primeiro você mistura tudo muito bem numa tigela funda. Depois você põe essa massa em forminhas muito bem untadas com manteiga. O forno não pode estar muito quente. Quando pronto, tire o doce ainda quente das forminhas.
— Ótimo! Posso fazer os quindins sozinha. Leio a receita com atenção e não há perigo de errar. Você pode comprar o coco para mim?

Modo Indicativo

VIR

Presente		**Pretérito Perfeito**		**Pretérito Imperfeito**	
Eu	venho	Eu	vim	Eu	vinha
Ele / Ela / Você	vem	Ele / Ela / Você	veio	Ele / Ela / Você	vinha
Nós	vimos	Nós	viemos	Nós	vínhamos
Eles / Elas / Vocês	vêm	Eles / Elas / Vocês	vieram	Eles / Elas / Vocês	vinham

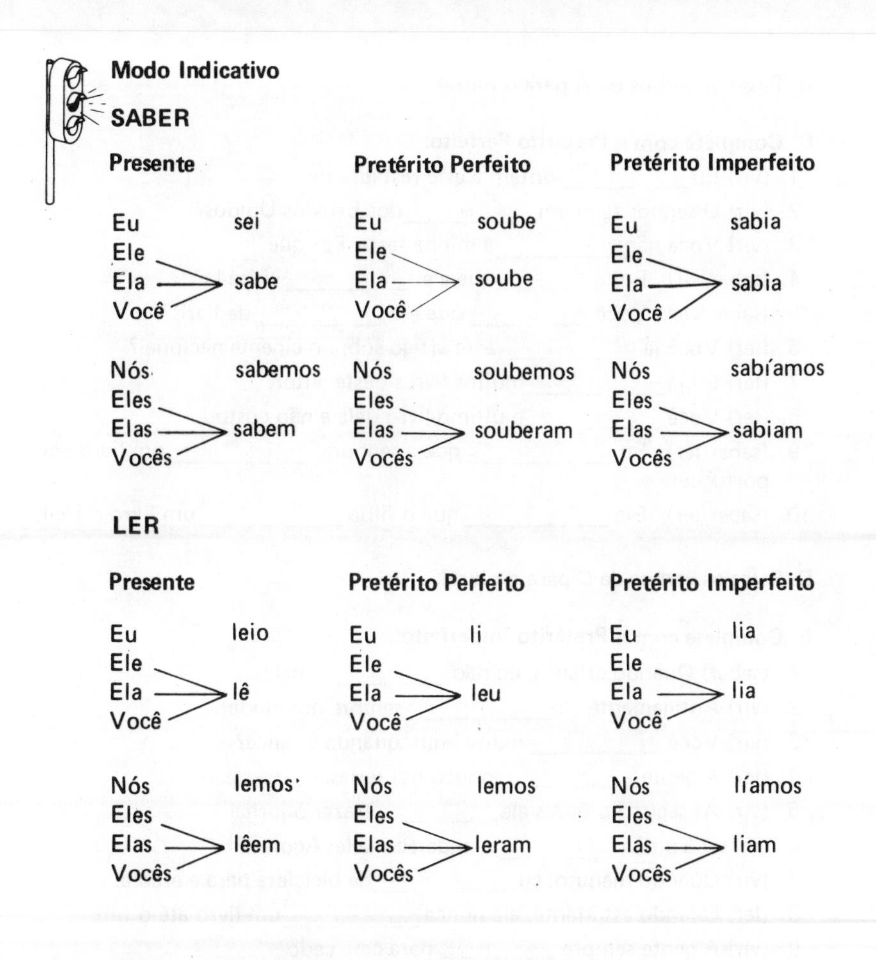

Modo Indicativo

SABER

Presente		**Pretérito Perfeito**		**Pretérito Imperfeito**	
Eu	sei	Eu	soube	Eu	sabia
Ele / Ela / Você	sabe	Ele / Ela / Você	soube	Ele / Ela / Você	sabia
Nós	sabemos	Nós	soubemos	Nós	sabíamos
Eles / Elas / Vocês	sabem	Eles / Elas / Vocês	souberam	Eles / Elas / Vocês	sabiam

LER

Presente		**Pretérito Perfeito**		**Pretérito Imperfeito**	
Eu	leio	Eu	li	Eu	lia
Ele / Ela / Você	lê	Ele / Ela / Você	leu	Ele / Ela / Você	lia
Nós	lemos	Nós	lemos	Nós	líamos
Eles / Elas / Vocês	lêem	Eles / Elas / Vocês	leram	Eles / Elas / Vocês	liam

A. Complete com o Presente:

1. (saber/ler) Eu sempre ____________ as notícias porque ______________ o jornal.
2. (vir) Eu sempre ____________ aqui para conversar com meus amigos.
3. (ler) O professor ___________ os textos antes de fazer os exercícios.
4. (vir/saber) Você __________ correndo quando __________ que ele está aqui.
5. (saber/ler) Ela nunca ___________ o que está acontecendo porque não ______________ os jornais.
6. (vir) Ele ___________ me ver duas vezes por semana.
7. (saber) Eu ____________ falar inglês e francês.
8. (ler) Você ____________ à noite?
9. (vir) Eu ___________ de casa até aqui a pé.
10. (ler) Eu ___________ tudo o que encontro.

B. Passe os verbos de A para o plural.

C. Complete com o Pretérito Perfeito:

1. (vir) Eu ______ ontem a este restaurante.
2. (vir) O senhor também ______ dos Estados Unidos?
3. (vir) Você não ______ à minha festa. Por quê?
4. (saber/vir) Eu ______ que ele ______ visitá-la?
5. (saber/vir) Você ______ que ela ______ de Paris?
6. (ler) Você já ______ este artigo sobre o cinema nacional?
7. (ler) Eu já ______ muitos livros deste autor.
8. (ler) Você ______ o último livro dele e não gostou.
9. (saber/ler) Eu ______ que a senhora ______ um livro em português.
10. (saber/ler) Ela ______ que o filho ______ um livro difícil.

D. Passe os verbos de C para o plural.

E. Complete com o Pretérito Imperfeito:

1. (saber) Quando criança, eu não ______ inglês.
2. (vir) Antigamente ele ______ sempre nos ajudar.
3. (vir) Você ______ muito aqui quando criança?
4. (ler) A gente ______ pouco nas férias.
5. (vir) Às segundas-feiras ele ______ trazer o jornal.
6. (saber) Eu não ______ o endereço dele. Agora sei.
7. (vir) Quando menino, eu ______ de bicicleta para a escola.
8. (ler) Quando estudante, ela nunca ______ um livro até o fim.
9. (vir) A gente sempre ______ para casa cedo.
10. (ler/escrever) Enquanto a gente ______ , elas ______ .

F. Passe os verbos de E para o plural.

G. Forme orações empregando os seguintes grupos de palavras:

1. vir / São Paulo / feiras industriais (Pretérito Perfeito)
   Muitos estrangeiros vieram a São Paulo para ver as feiras industriais.
2. ler / revista / Brasília (Pretérito Perfeito)
   ______
3. saber / quindins (Presente)
   ______
4. vir / Brasil / amigos (Pretérito Imperfeito)
   ______

5. saber / notícias / jornal (Pretérito Perfeito)

____

6. vir / Paris / Brasil (Pretérito Perfeito)

____

7. saber / melhor / restaurante (Presente)

____

8. assistir / melhor / peças (Pretérito Perfeito)

____

9. saber / programas de televisão (Pretérito Imperfeito)

____

10. ler / difícil / livro (Presente)

____

Mim – Comigo – Conosco

Ele me deu o livro = Ele deu o livro para mim.

(eu) João trouxe o livro *para* **mim** – (ele) João trouxe o livro *para ele.*
(eu) João vai ao Rio *sem* **mim** – (nós) João vai ao Rio *sem nós.*
(eu) João vai esperar *por* **mim** – (você) João vai esperar *por você.*
(eu) João sempre pensa *em* **mim** – (ela) João sempre pensa *nela.*
(nós) João sempre pensa *em nós.*
(eu) João gosta *de* **mim** – (elas) João gosta *delas.*
(vocês) João gosta *de vocês.*

Com

(eu) João vai à festa **comigo.** – (você) João vai a festa *com você.*
(ele) João vai à festa *com ele.*
(ela) João vai à festa *com ela.*
(nós) João vai à festa **conosco.** - (vocês) João vai à festa *com vocês.*
(eles) João vai à festa *com eles.*
(elas) João vai à festa *com elas.*

H. Complete:

1. (nós) Você gosta de __________?
2. (eles) Eu sempre penso (em) __________.
3. (eu) Ela deu o caderno e os livros para __________.

4. (eu) Vocês não têm cartas para __________?
5. (eu/eu) Ele não quer falar________porque não gosta muito de________.
6. (você) Eu tenho uma carta para __________.
7. (nós/elas) Ele não quer jantar________. Ele prefere jantar com ______.
8. (ele/eu) Eu nunca gostei (de)______ porque ele nunca gostou de _____.
9. (nós) Eles trabalharam (com) __________ na feira industrial.
10. (eu) Venha (com) __________. Quero mostrar-lhe a cidade.
11. (eu) Eles querem conversar (com) _________ sobre a viagem.
12. (eu/eu) Ele sempre pensa em ________ porque precisa de _________.
13. (nós/nós) Ele não quer sair (com)_____porque não gosta mais de ____.
14. (eu/eu) Minha amiga foi (com) ____ à loja. Lá ela comprou um presente para __________.
15. (vocês/ele) Pedro vai esperar por______ na esquina da biblioteca. Vocês vão com __________ à casa de Paulo.

I. Pronomes – revisão

1. Alice, passe amanhã em casa. Vou______dar uma receita de bala de café muito boa.
2. Vimos Pedro saindo do hotel e corremos para cumprimentá-______. Ele também ______viu e sorriu para __________.
3. Eles não gostam desta cidade mas visitaram-______ com seus amigos.
4. Não vejo Ricardo há muito tempo. Vou telefonar-_______hoje à noite e convidá-______ para vir à minha festa.
5. Amanhã o presidente vai visitar a nova fábrica de aviões. Os diretores vão mostrar-_______ o modelo mais novo. Todos os operários vão estar presentes porque querem vê-_______ pessoalmente.
6. Se não me engano, Luísa pegou a revista e levou-______ para o quarto. Ela quer lê-______ tranqüilamente.
7. No meu aniversário, meus amigos ofereceram-____um jantar e deram-____ um disco bem moderno.
8. Quando fizemos 25 anos de casados, nossos filhos deram- _________uma grande festa e compraram-_______um presente muito interessante.
9. Onde está João? Eu não consigo encontrá-_____. Preciso falar com_____.
10. Gostei muito do livro. Vou lê- _______ outra vez.
11. Meu amigo, venha _______. Quero mostrar- ______ minha casa nova.
12. Mariana, eu gosto de_________. E você? Você gosta de__________?
13. Pedro é o nosso engenheiro mais antigo. Ele trabalha ______há 26 anos.
14. Você tem dois livros iguais. Você pode dar um para ______?
15. Meu irmão e eu fomos a Pernambuco sozinhos porque João não quis viajar______.

Texto Narrativo
Usos e costumes – Bahia, Ceará, Rio Grande do Sul

O Brasil, como os países da Europa e os outros países da América, tem usos e costumes diferentes para cada região do seu grande território.

"– Você já foi à Bahia, nego?
Não? Então, vá!"

A música tem razão. A Bahia é um dos estados mais interessantes do Brasil. Seus habitantes guardam ainda tradições de religião, comidas e costumes da época da escravidão negra. A capital, Salvador, tem 365 igrejas (segundo a tradição popular). Seus habitantes misturam o culto católico com cultos africanos, como o candomblé. A festa de Iemanjá, rainha do mar, atrai milhares de pessoas e é um lindo espetáculo. A comida também é bem característica: acarajé, vatapá, cuscus, tudo feito com azeite de dendê. E os doces? A famosa cocada e os deliciosos quindins, muito famosos, são feitos com coco.

Ao norte da Bahia fica o Ceará.
"Olê, mulé rendeira,
Olê, mulé rendá.
Tu m'ensina a fazer renda,
Que eu t'ensino a namorar".

Como são lindas as rendas do Ceará, as praias do Ceará, com jangadas e jangadeiros no mar!
Os habitantes do Ceará comem muita carne seca com farinha e têm um sotaque diferente dos brasileiros do sul.
O Ceará apresenta vários tipos característicos. O jangadeiro é o pescador corajoso, que sai no seu barco a vela, muito frágil, sem saber se vai voltar.
O cangaceiro, uma mistura de bandido e de homem valente e violento, vivia antigamente no sertão do Ceará.

No extremo sul do país fica o estado do Rio Grande do Sul, cuja capital é Porto Alegre.

"Vou m'embora, vou m'embora,
Prenda minha,
Tenho muito que fazer."

Seus habitantes, os gaúchos, são gente forte, alegre e orgulhosa, que aprendeu a defender suas terras nas violentas lutas de fronteira. Os pampas são a paisagem característica desse estado. Nos invernos, sempre rigorosos, os gaúchos usam o poncho, uma longa capa feita de lã de carneiro. Durante o ano todo, não dispensam nem o chimarrão, um tipo de chá muito amargo, nem o churrasco, carne assada no espeto, sua comida típica.

A. Responda a estas perguntas:

1. Por que o Brasil tem muitos usos e costumes diferentes?
2. Por que a Bahia tem influência africana em suas comidas e em sua religião?
3. Qual a festa de tradição africana mais conhecida?
4. Se você já provou comida baiana, o que achou dela?
5. Você gosta de pratos exóticos? Por quê?
6. Quais são os tipos característicos do Ceará? O que sabe sobre eles?
7. Qual o prato típico do cearense?
8. Quem são os gaúchos? O que sabe sobre eles?
9. O que é o poncho? Por que os gaúchos o usam?
10. Qual a comida típica do gaúcho?

B. Ditado: Vide observação da pág. 9

Faça agora o teste 4 do Caderno de Testes.

Bons tempos aqueles...

Senhor: — Veja! Aquele homem está quase dormindo e não sabe que o sinal está fechado.

Ele vai bater naquela bicicleta!

Moço: — Ah! que sorte! Ele desviou dela na hora H!

Senhor: — Ainda bem.

É perigosíssimo dirigir quando a gente está muito cansado ou não se sente bem.

Moço: — De fato. E o trânsito numa cidade tão grande quanto esta deixa qualquer pessoa maluca.

— Há carros demais, gente demais, sinais demais...

— ... e muita indisciplina.

Senhor: — Eu me lembro com saudades dos tempos em que esta cidade era pequena. Bons tempos aqueles...

— Mal posso acreditar que ela cresceu tanto.

Moço: — O senhor tem razão.

— O senhor gosta de dirigir?

Senhor: — Só em estradinhas do interior.

— Aqui não. Eu me sinto mal com toda esta confusão.

— Prefiro andar de ônibus.

Vamos para a praia

— O tempo tem andado péssimo. Não chove há semanas e está muito abafado.
— É, e ainda por cima esta poluição.
— Neste fim de semana vou para a praia. Lá tem que estar melhor.
— Boa idéia. Eu também vou. Lá eu me sinto bem. Os dias são muito claros e o céu é limpíssimo. Aqui, mal posso respirar.

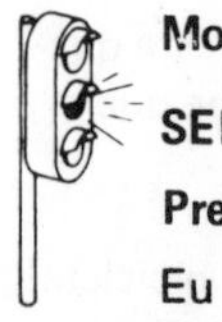

Modo Indicativo

SENTIR *

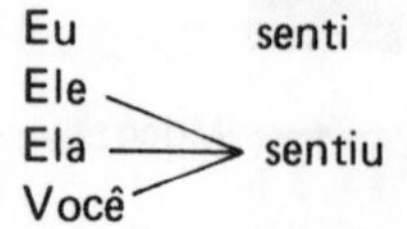

Presente Simples		**Pretérito Perfeito**		**Pretérito Imperfeito**	
Eu	sinto	Eu	senti	Eu	sentia
Ele / Ela / Você	sente	Ele / Ela / Você	sentiu	Ele / Ela / Você	sentia
Nós	sentimos	Nós	sentimos	Nós	sentíamos
Eles / Elas / Vocês	sentem	Eles / Elas / Vocês	sentiram	Eles / Elas / Vocês	sentiam

* Observação: Outros verbos seguem o modelo de *sentir* (ver pág. seguinte):

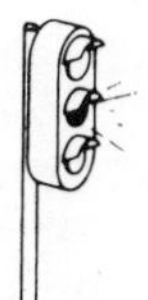

Modo Indicativo

Presente Simples

VESTIR

Eu visto
Ele / Ela / Você → veste

Nós vestimos
Eles / Elas / Vocês → vestem

SERVIR

Eu sirvo
Ele / Ela / Você → serve

Nós servimos
Eles / Elas / Vocês → servem

DIVERTIR

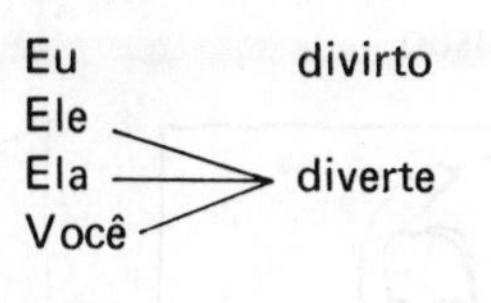

Eu divirto
Ele / Ela / Você → diverte

Nós divertimos
Eles / Elas / Vocês → divertem

A. Complete no Presente:

1. (servir) Eu sempre ___________cafezinho para meus amigos, quando eles vêm me visitar.
2. (servir) Você acha que este garçom ___________bem? Nós já estamos aqui há meia hora!
3. (servir) O que você ___________ como sobremesa no verão?
4. (servir) Eu ___________ sorvete.
5. (servir) Este livro não ___________ para nossos alunos. É muito antigo.
6. (servir) Estas blusas ainda ___________ para você. Use-as mais um pouco.
7. (vestir) A menina ___________ as bonecas quando brinca de casinha.
8. (vestir) Eu ___________ roupas quentes quando está muito frio.
9. (vestir) Os gaúchos ___________ poncho no inverno.
10. (vestir) Eu ___________ minha filha porque ela ainda é muito pequena.
11. (preferir) Nós ___________ esperar por João aqui.
12. (preferir) O que vocês ___________? Chá ou café?
13. (preferir) Eu ___________ chá, por favor.

14. (preferir) Eles__________ visitar o Rio em julho. Não é tão quente.
15. (divertir) Você __________ seus amigos com suas estórias.
16. (divertir) Eu __________ meus amigos com minhas piadas.
17. (divertir) No circo, o palhaço__________ as crianças.
18. (divertir) Ele anda nervoso. Nada o __________.
19. (divertir) Eu __________ meus filhos contando-lhes estórias de meus tempos de criança.
20. (divertir) Cinema e teatro nunca me__________.

Verbos Pronominais

A decisão

Ela então se decidiu. Levantou-se, vestiu-se e saiu. No elevador encontrou um vizinho. Cumprimentaram-se, conversaram um pouco e, na rua, despediram-se. Ela virou a esquina e dirigiu-se para o escritório dele.

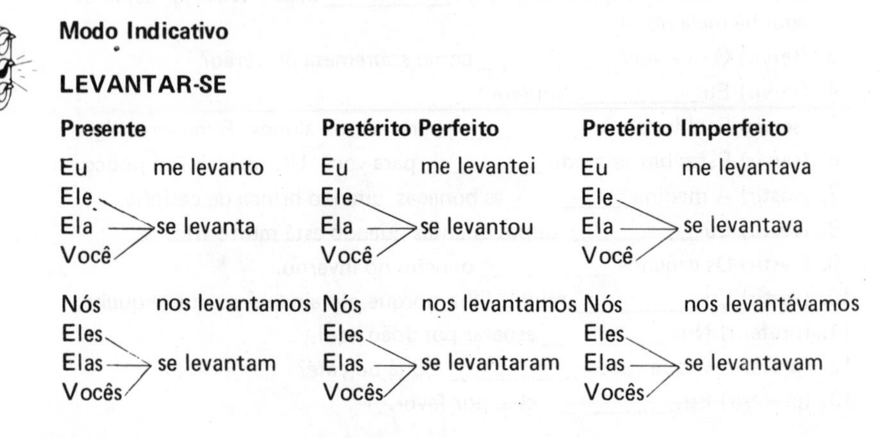

Modo Indicativo

LEVANTAR-SE

Presente		**Pretérito Perfeito**		**Pretérito Imperfeito**	
Eu	me levanto	Eu	me levantei	Eu	me levantava
Ele / Ela / Você	se levanta	Ele / Ela / Você	se levantou	Ele / Ela / Você	se levantava
Nós	nos levantamos	Nós	nos levantamos	Nós	nos levantávamos
Eles / Elas / Vocês	se levantam	Eles / Elas / Vocês	se levantaram	Eles / Elas / Vocês	se levantavam

Os verbos pronominais em português podem ter sentido *reflexivo* e *recíproco*.

Ex: Eu me olho no espelho.
Eles se conhecem há muito tempo.

A. Sublinhe os verbos pronominais do texto "A Decisão".

B. No quadro abaixo classifique os verbos sublinhados: reflexivo ou recíproco?

Verbos	Reflexivo	Recíproco

C. Complete as orações com os seguintes verbos no tempo adequado:
vestir-se, sentir-se, dirigir-se, divertir-se, enganar-se, servir-se, despedir-se, virar-se, cumprimentar-se, decidir-se.

1. As crianças estavam atrasadas, por isto elas ________________depressa e correram para a escola.
2. O almoço estava pronto, mas a empregada não estava em casa. Por isso nós mesmos ____________________ .
3. Na festa todos ____________________alegremente.
4. Aquele homem não está _______________ bem. Ele pegou um táxi e foi para casa.
5. Quando cheguei a Londres, ____________________ ao hotel.
6. A festa vai ser animada. As moças e os rapazes vão _____________ muito.
7. Quando a gente está cansado, a gente não ____________________bem.
8. Se não __________________ , ela mora nesta casa.
9. Teresa, o avião já vai partir. Precisamos ________________ agora mesmo.
10. Quando ela passou, todos os rapazes ________________ para vê-la.
11. Ela gosta de Antônio e de Pedro, mas não __________ por nenhum deles.
12. A gente sempre ______________ com as mulheres.

D. Faça orações com os seguintes verbos:

Lavar-se	
Conhecer-se	
Chamar-se	
Secar-se	
Mudar-se	
Oferecer-se	

Quadro Geral dos Pronomes Pessoais

Sujeito	Complementos		
	Direto	Indireto	Reflexivo - Recíproco
Eu	me	me, mim, comigo	me
Ele Ela Você	o, a (lo, la)	lhe	se
Nós	nos	nos, conosco	nos
Eles Elas Vocês	os, as (los, las, nos, nas)	lhes	se

Dinheiro curto . . .

Vi Marina ontem. Ela acabou de chegar da Europa. Voltou impressionadíssima com os preços por lá. Os hotéis estão caríssimos. Ela mal pôde fazer compras e por isso não pôde trazer o relógio que lhe pedi. Ela queria ficar nos melhores hotéis e comer nos restaurantes mais famosos. É claro que não foi possível. Você também tem de ouvir Marina contar suas estórias.

Superlativo (a)

Este hotel é moderno. Este hotel é *o mais moderno da* cidade.
Estas cidades são famosas. Estas cidades são *as mais famosas da* Europa.

Observe:

bom ⟶ o melhor de   grande ⟶ o maior de
mau, ruim ⟶ o pior de   pequeno ⟶ o menor de

A. Transforme as orações usando o superlativo:

1. Comprei um carro caro. Comprei o carro mais caro da loja.
2. Ela mora numa casa confortável. ________________
3. Esta fábrica vende aviões velozes. ________________
4. Ontem vimos um filme interessante. ________________
5. A sala dele é clara. ________________
6. Fizemos uma viagem curta. ________________
7. Ela mora num bom apartamento. ________________
8. Fabricamos máquinas grandes. ________________
9. Eles fizeram um mau negócio. ________________
10. Ela abriu uma loja pequena. ________________

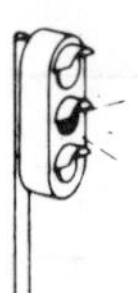

Superlativo (b)

Este hotel é moderno.   Este hotel é *muito moderno.*
Este hotel é *moderníssimo*.

Estas cidades são famosas.   Estas cidades são *muito famosas.*
Estas cidades são *famosíssimas.*

Observe:

mau, ruim ⟶ péssimo
bom ⟶ ótimo
agradá*vel* ⟶ agrada*bilíssimo*
amá*vel* ⟶ ama*bilíssimo*
difíc*il* ⟶ dific*ílimo*
fác*il* ⟶ fac*ílimo*

B. Transforme as orações conforme o modelo.

1. Esta sala é clara. Esta sala é muito clara.
   Esta sala é claríssima.
2. Ele comprou um apartamento velho. ____________.
   ____________.
3. O irmão dela é alto. ____________.
   ____________.
4. O tempo em São Paulo é instável. ____________.
   ____________.
5. Esta bicicleta é barata. ____________.
   ____________.
6. É difícil dirigir em São Paulo. ____________.
   ____________.
7. Ela acha fácil dirigir em Nova York. ____________.
   ____________.
8. Nosso diretor é um homem ocupado. ____________.
   ____________.
9. Ele é jovem, mas é responsável. ____________.
   ____________.
10. O que aconteceu com Tomás? ____________.
    Ele está gordo. ____________.
11. O carro está conservado ____________.
    e o preço é bom. ____________.
12. Pobre homem! Ele está ruim. ____________.
    ____________.
13. Não gosto desta rua. Ela é escura. ____________.
    ____________.
14. Vou a pé para o escritório. ____________.
    Moro perto do Centro. ____________.
15. O jardim da casa está abandonado. ____________.
    ____________.

C. Faça dois textos de propaganda empregando o superlativo:

PEDIR

Modo Indicativo

	Presente Simples	Pretérito Perfeito	Pretérito Imperfeito
Eu	peço	pedi	pedia
Ele / Ela / Você	pede	pediu	pedia
Nós	pedimos	pedimos	pedíamos
Eles / Elas / Vocês	pedem	pediram	pediam

OUVIR

Modo Indicativo

	Presente Simples	Pretérito Perfeito	Pretérito Imperfeito
Eu	ouço	ouvi	ouvia
Ele / Ela / Você	ouve	ouviu	ouvia
Nós	ouvimos	ouvimos	ouvíamos
Eles / Elas / Vocês	ouvem	ouviram	ouviam

D. Complete:

1. (ouvir) Eu__________ rádio todas as manhãs.
2. (pedir) Você sempre ________ um sorvete de sobremesa.
3. (pedir) Ontem ele me___________ um livro emprestado.
4. (fazer) Ela não vai sair agora porque está___________um bolo.
5. (fazer) No ano passado ele me___________ muitos favores.
6. (fazer) As baianas__________quindins muito bons.
7. (fazer/fazer) No ano passado eu____________ ginástica duas vezes por semana. Agora não ___________ mais.
8. (ouvir) Não faça barulho! Ele está __________ seu programa preferido.
9. (ouvir/ouvir) Antes nós____________ muita música clássica; agora não ___________ mais porque não temos tempo.
10. (pedir) Quando como neste restaurante, sempre________o prato do dia.
11. (pedir) Nós__________o número do telefone dele, mas ele não deu.
12. (pedir) Amanhã eles__________ para ver o melhor aparelho de som da loja.
13. (ouvir) O público__________ o concerto em silêncio e depois aplaudiu o pianista demoradamente.

14. (ouvir/ouvir) Quando eu morava numa casa, __________ a chuva bater no telhado; agora que moro em apartamento não __________ mais.

15. (fazer/fazer/pedir) Você __________ bons negócios com esta fábrica japonesa?
– Não, não __________. Eu sempre __________ os folhetos, mas nunca os recebo.

E. Complete com <u>acabar de</u>:

1. (sair) Querem falar com o sr. Morais, mas ele acabou de sair.
2. (fazer) Ele __________ um ótimo negócio.
3. (aparecer) Veja! __________ o último perfume desta coleção.
4. (receber) Hoje vamos jantar no restaurante. Eu __________ meu ordenado.
5. (telefonar) Julieta não está em casa. Eu __________ para lá.
6. (quebrar) Sinto muito, mas não vamos mais tomar vinho no jantar. Eu __________ a última garrafa.
7. (sair) Vou comprar o último disco desta cantora. Ele __________.
8. (ver) Marina não está em casa. Eu __________-la na porta do cinema.
9. (limpar) A casa está limpa. Eu __________-la.
10. (contratar) Temos uma nova secretária. __________-la.

Ele está com dor de garganta e *mal pode falar.*
Não vou conversar com ele porque *mal o conheço.*

F. Complete:

1. Eu trabalho muito e *mal posso sair com meus amigos.*
2. Ele está com sono e __________.
3. Por causa da dor de cabeça ela __________.
4. Ela estava com dor na mão e __________.
5. Porque minha amiga estava com pressa eu __________.
6. Não é possível!! Eu __________.
7. Por causa do sol ele __________ o farol fechado.
8. Meu ordenado é muito pequeno. __________ com ele.
9. Não vou convidar meu vizinho para a festa porque __________.
10. Não me lembro do rosto dele. Eu __________.

Você *precisa* ajudar o Paulo. = Você *tem de* ajudar o Paulo.
Você *tem que* ajudar o Paulo.

G. Responda a estas perguntas:

1. O que você precisa fazer hoje? *Eu preciso escrever uma carta.*
2. O que eles precisam comprar? Eles precisam ____________.
3. A que horas você precisa almoçar? Eu ____________.
4. Por que ele precisa sair? ____________.
5. Qual dos dois você precisa consertar? ____________.

H. Retome o exercício G, substituindo precisar por ter de ou ter que.

I. Complete estas orações:

1. Não posso ajudá-la porque tenho que ____________.
2. Ele não veio à nossa festa porque ____________.
3. O médico não vai nos atender hoje porque ____________.
4. Para ser engenheiro você ____________.
5. Para marcar uma entrevista com aquele artista a gente ____________ ____________.
6. A gente ____________ para dirigir em São Paulo.
7. Para levantar cedo a gente ____________.
8. A gente ____________ para ser elegante.
9. Para abrir uma firma nós ____________.
10. Para falar com o Papa você ____________.

Sinais de trânsito

Proibido estacionar

Permitido estacionar

Contramão { Esta rua é contramão. / Você está na contramão. / Você não pode entrar na contramão.

Mão única { Esta rua é mão única. / Esta rua não dá mão.

Duas mãos { Esta rua é duas mãos. / Ela dá mão.

Direção a seguir { Podemos virar à direita. / Podemos virar à esquerda. / Vamos sempre reto!

Proibida a conversão à esquerda. { Não podemos virar à esquerda.

Proibido ultrapassar

Homens trabalhando { Esta rua está em obras.

J. Você está dirigindo seu carro em direção ao banco. Você está na rua 13 de Maio, perto do super-mercado. Observe a figura e responda a estas perguntas:

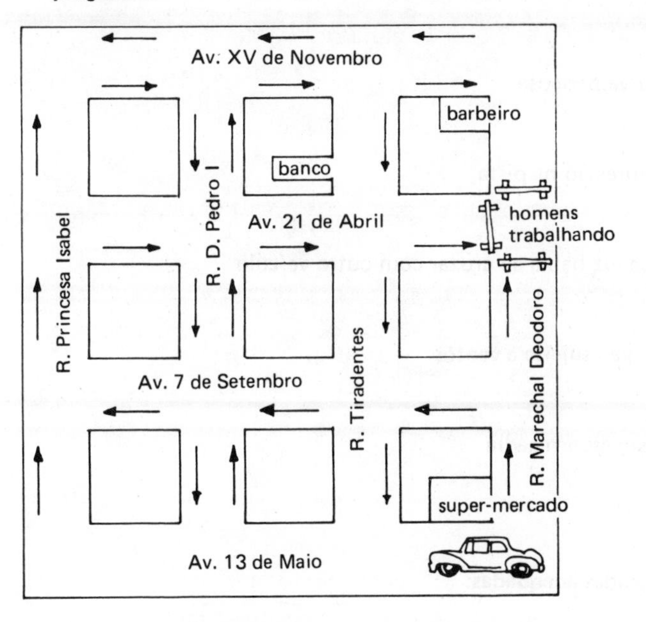

1. Onde fica o banco?
2. Em que rua você vai virar para chegar ao banco?
3. Por que você não pode virar na rua Tiradentes?
4. Que tipo de rua é a rua Dom Pedro I?
5. E a Avenida 21 de Abril?
6. A rua Marechal Deodoro dá mão. Se você pegar esta rua, você pode ir até o fim? Por quê?
7. Depois de resolver seus negócios no banco, você vai ao barbeiro. Que caminho você tem que fazer?
8. Por que você tem de fazer um trajeto tão comprido?

Sinais de estrada

Pare sempre fora da pista

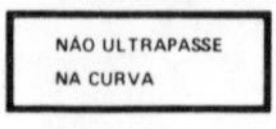

Não ultrapasse na curva

Ponte estreita

Restaurante/ Posto de Gasolina/ Borracheiro/ Telefone

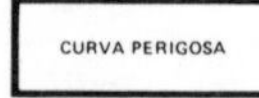

Curva perigosa

Depressão na pista

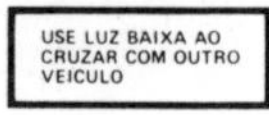

Use luz baixa ao cruzar com outro veículo

Região sujeita a ventos

Pista escorregadia

L. Coloque as legendas adequadas:

______________________ ______________________

______________________ ______________________

Texto Narrativo – Uma lenda indígena

A vitória-régia

A vitória-régia é uma bela flor aquática, típica do rio Amazonas. Os índios contam uma lenda para explicar seu aparecimento.
Naia era uma indiazinha bem bonita e pensava, como todos de sua tribo, que a Lua era um moço de prata. Do casamento das índias virgens com este moço, nasciam as estrelinhas do céu.
Assim Naia corria vales e montes, erguendo os braços e tentanto, a todo custo, alcançar a Lua. Mas, mesmo subindo nas mais altas montanhas, a Lua ficava sempre muito longe, no céu infinito.
Naia desistiu de buscar o moço de prata e ficou triste.
Uma bela noite, porém, aproximou-se do grande rio. O que viu? Dentro dele, bem lá no fundo, estava a Lua. Naia não teve a menor dúvida. O moço de prata, noivo das virgens, lá estava, chamando-a, num convite de amor.
A jovem lançou-se às águas do rio-mar, num mergulho ansioso. Foi-se afundando, mais e mais, até desaparecer para sempre.
A Lua sentiu-se responsável pelo trágico acidente e achou que a indiazinha merecia ser recompensada e viver para sempre. Num gesto de gratidão, a Lua transformou-lhe o corpo numa flor diferente, bela e majestosa: a vitória-régia.

A. Responda:

1. Por que Naia tentava, a todo custo, alcançar a Lua?
2. Por que Naia desistiu de alcançar a Lua?
3. Como Naia encontrou o moço de prata?
4. Naia, enfim, alcançou a Lua? Por quê?
5. Por que surgiu a vitória-régia?
6. A vitória-régia é uma flor aquática, típica do rio Amazonas. Você sabe mais alguma coisa sobre ela?

Ela subia nas montanhas mais altas, mas a lua continuava longe.
Mesmo subindo nas montanhas mais altas, a lua continuava longe.

A. Diga de outra forma:

1. Ela se sentia cansada, mas não queria ficar em casa.
   Mesmo se sentindo cansada, ela não queria ficar em casa.
2. Ela se divertia na festa, mas foi embora cedo.
   Mesmo se divertindo ______________________________.
3. Ele entrou na contra-mão, mas não conseguiu alcançá-la.
   ____
4. Elas vestiram-se depressa, mas não chegaram na hora.
   ____

5. Sempre ouço rádio, mas nunca ouvi esta música.

____

6. Ela estava com fome, mas não almoçou.

____

7. Ele ouviu o telefone, mas não atendeu.

____

8. Ela gostava muito dele, mas não se casou com ele.

____

B. Complete, conforme o modelo:

1. Ele quer, a todo custo, ser o diretor da companhia.
2. Os fabricantes querem, a todo custo, ______________.
3. A indiazinha queria, ______________.
4. Você precisa, ______________.
5. Eu vou, ______________.
6. Ela vai fazer, ______________.
7. Eu quis, ______________.
8. Nós precisamos, ______________.

Ditado: Veja a observação da pág. 9.

Unidade 10

D. Pedro II dormiu aqui

Guia: — Sinto muito, mas sempre trago os turistas para este hotel.

Até agora ninguém se queixou.

Turista: — Pois serei o primeiro!

Veja! Este hotel é horroroso. E vai de mal a pior.
É tão velho que está caindo aos pedaços.
Está muito mal cuidado.

E não oferece nenhum conforto.

Guia: — Mas é o hotel mais tradicional de nossa cidade. D. Pedro II dormiu aqui há 130 anos atrás!

Turista: — Pois é... E desde aquele dia nunca mais ninguém fez nada para conservá-lo.

Guia: — Não adianta discutir. Não posso alterar o programa da agência de turismo.

Turista: — Pois aqui eu não fico de jeito nenhum.

Alguém me indicará um hotel pequeno e bem limpinho, numa ruazinha tranqüila.
O senhor tem alguma sugestão?

Na portaria do hotel

— Há alguma carta para mim?
— Não, nenhuma.
— Alguém veio me procurar?
— Não, ninguém.

— O senhor tem certeza de que não há nenhum recado?
— Tenho, senhor. Não há nenhum recado, nenhum telefonema e nenhuma carta. Não há nada para o senhor.

O senhor tem alguma sugestão?

algum amigo
alguma amiga
alguns amigos
algumas amigas

alguém
alguém vai nos ajudar

A. Complete com algum, alguma, alguns, algumas, alguém:

1. Eu trouxe __________ jornais e __________ revistas para você.
2. Ela precisa de __________ informações sobre aquele candidato.
3. Quando morreu, ele deixou __________ dinheiro e __________ casas para os filhos.
4. Não sei o que fazer. Você tem __________ idéia?
5. Preciso encontrar __________ em casa.
6. __________ viu o que aconteceu lá na esquina?
7. __________ dia vou ao Canadá. Estou com saudade de __________ amigos que tenho lá.
8. Por favor, __________ pode me ajudar?
9. __________ me disse que esta firma vai de mal a pior.
10. É verdade. __________ bancos e __________ fábricas já não querem fazer negócio com ela.
11. __________ telefonou para você, mas não deixou o nome.
12. Veja! __________ luzes estão acesas. Há __________ em casa agora.
13. Você conhece __________ lá do banco? Preciso de um empréstimo.
14. O ônibus levou __________ crianças e __________ professores ao museu.
15. __________ tem __________ livros para emprestar?

Este hotel não oferece nenhum conforto.

nenhum amigo
nenhuma amiga

ninguém — nada
Até agora *ninguém* se queixou.
Até agora *ninguém* fez *nada.*

B. Complete com nenhum, nenhuma, ninguém, nada:

1. Você tem algum amigo aqui? — Não, __________.
2. __________ amigo quer me ajudar. Acho que __________ gosta de mim.
3. — Alguém me telefonou? — Não, __________.
4. — Meu Deus! Quantos copos você quebrou? — Não quebrei __________ copo. Quebrei alguns pratos.

5. __________ cidade brasileira tem 500 anos.
6. Telefonei para lá, mas não havia __________ em casa.
7. — Você pode me emprestar algum dinheiro? — Não, de jeito __________.
8. — O que você disse? — __________.
9. João não é meu amigo. Ele não fez __________ para me ajudar.
10. Todos queriam ajudar, mas na hora H __________ apareceu.

Alguém me indicará um hotel.

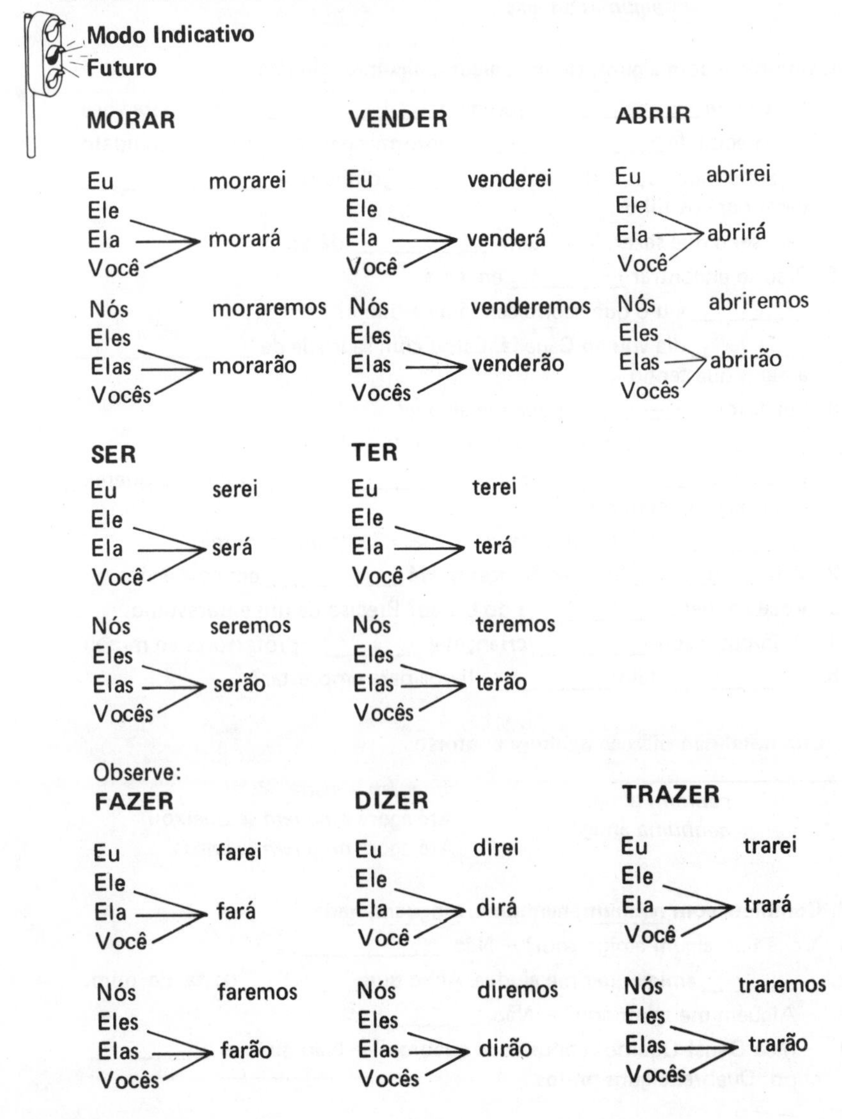

Modo Indicativo
Futuro

MORAR

Eu	morarei
Ele / Ela / Você	morará
Nós	moraremos
Eles / Elas / Vocês	morarão

VENDER

Eu	venderei
Ele / Ela / Você	venderá
Nós	venderemos
Eles / Elas / Vocês	venderão

ABRIR

Eu	abrirei
Ele / Ela / Você	abrirá
Nós	abriremos
Eles / Elas / Vocês	abrirão

SER

Eu	serei
Ele / Ela / Você	será
Nós	seremos
Eles / Elas / Vocês	serão

TER

Eu	terei
Ele / Ela / Você	terá
Nós	teremos
Eles / Elas / Vocês	terão

Observe:

FAZER

Eu	farei
Ele / Ela / Você	fará
Nós	faremos
Eles / Elas / Vocês	farão

DIZER

Eu	direi
Ele / Ela / Você	dirá
Nós	diremos
Eles / Elas / Vocês	dirão

TRAZER

Eu	trarei
Ele / Ela / Você	trará
Nós	traremos
Eles / Elas / Vocês	trarão

C. Leia o texto:

Ontem nosso guia nos mostrou as Cataratas do Iguaçu. Saímos do hotel logo depois do café da manhã. O ônibus já estava nos esperando. Cinco minutos depois, ele partiu. Todos nós estávamos contentes. O ônibus seguiu pela estrada até a fronteira com a Argentina. Lá descemos do ônibus e tomamos um barco pequeno. Não dissemos uma palavra, nem fizemos barulho durante a viagem de barco porque tudo nos parecia perigoso: estávamos muito perto das cataratas.

Foi bom chegar à Argentina. À tarde o ônibus nos trouxe de volta para o hotel. Estávamos muito cansados, mas felizes.

Agora passe os verbos do texto para o Futuro. Comece assim: "Amanhã nosso guia . . ."

D. Substitua o Futuro Imediato pelo Futuro:

1. No ano que vem *vou trabalhar* menos e *descansar* mais.

   ____

2. Ele disse que *vai comprar* e *vender* carros usados.

   ____

3. O avião *vai partir* às 9 horas de São Paulo e às 11 *vai chegar* à Bahia.

   ____

4. Você *vai* me *fazer* um favor? Você *vai* me *trazer* mais um copo de água?

   ____

5. Ana Maria *vai dizer* ao chefe que precisa ganhar um ordenado melhor.

   ____

6. Esta sua idéia *vai* nos *trazer* problemas.

   ____

E. Passe as orações anteriores no Futuro para o plural.

F. Formule as perguntas. Use o Futuro:

1. (passar) Onde vocês passarão suas férias? Em Campos do Jordão.
2. (abrir) ____________________. Às dez horas em ponto.
3. (ajudar) ____________________. Ninguém.
4. (fazer) ____________________. Nada.
5. (ir) ____________________. De navio.
6. (beber) ____________________. Um guaraná.
7. (trazer) ____________________. Nenhum.
8. (dizer) ____________________. Não.
9. (comprar) ____________________. Na Sears.
10. (pedir) ____________________. Goiabada com queijo.

D. Pedro dormiu aqui.

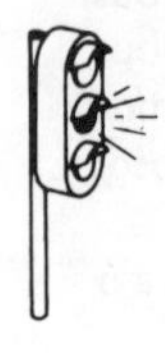

DORMIR

Modo Indicativo

Presente Simples

Eu	durmo
Ele / Ela / Você	dorme
Nós	dormimos
Eles / Elas / Vocês	dormem

Pretérito Perfeito

Eu	dormi
Ele / Ela / Você	dormiu
Nós	dormimos
Eles / Elas / Vocês	dormiram

Pretérito Imperfeito

Eu	dormia
Ele / Ela / Você	dormia
Nós	dormíamos
Eles / Elas / Vocês	dormiam

Futuro

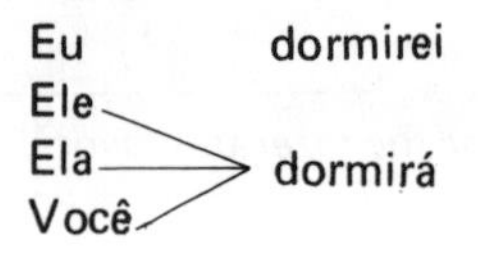

Eu	dormirei
Ele / Ela / Você	dormirá
Nós	dormiremos
Eles / Elas / Vocês	dormirão

Observação:
Outros verbos seguem o modelo de *dormir.*

COBRIR

Presente Simples

Eu	cubro
Ele / Ela / Você	cobre
Nós	cobrimos
Eles / Elas / Vocês	cobrem

SUBIR

Eu	subo
Ele / Ela / Você	sobe
Nós	subimos
Eles / Elas / Vocês	sobem

G. Complete:

1. (dormir) Quando estou cansado, eu__________ a noite inteira.
2. (dormir) Você__________ bem no verão?
3. (dormir) João está cansado porque__________ muito pouco.
4. (dormir) Antigamente eles__________ oito horas por dia.
5. (dormir) Nós nunca__________ menos de oito horas por dia.
6. (dormir) Ontem eu __________ mal por causa dos mosquitos.
7. (subir) Os preços__________ todos os dias.
8. (subir) Você fica cansado quando__________ escadas?
9. (subir) Eu não__________ a escada quando vou ao escritório. Eu tomo o elevador.
10. (subir) Quando ele ficava nervoso, sua pressão__________.
11. (subir) Quando crianças, nós sempre__________ na cadeira para alcançar o brinquedo no armário.
12. (subir) Quando quero falar com ele, __________ até o 15º andar.
13. (subir) As águas do rio__________ quando chove muito.
14. (cobrir) Quando está frio, ela se __________ com o cobertor.
15. (cobrir) Elas__________ o rosto com as mãos na hora H.
16. (descobrir) Os portugueses__________ o Brasil em 1500.
17. (descobrir) E Colombo __________ a América em 1492.
18. (cobrir) João, você __________ o nenê ontem à noite?
19. (cobrir) Não, não__________. Estava quente.
20. (descobrir/descobrir) Eu sempre__________ o que quero saber. Um dia__________ a verdade sobre ele.

Era um carro novinho em folha!

— Droga! Roubaram meu carro! Eu o estacionei ali, pertinho daquela árvore e agora não está mais lá.

— Calma! Vamos ver este negócio. A que horas foi isso?

— Agorinha mesmo. Não faz nem dez minutos.

— Mas que coisa! Não é possível! Você tem certeza?

— Tenho. Foi aqui mesmo. Mal posso acreditar.

— Como era o carro?

— Era novinho em folha. O que é que a gente faz agora?

— A gente tem de ir à polícia. Não há outro remédio.

Diminutivo

1. O diminutivo é muito usado em português. Ele serve para indicar:
   a. objetos pequenos:
   Comprei uma *casinha* na praia.
   b. carinho:
   Venha cá, *filhinha!*
   c. ênfase:
   Ele mora *pertinho* daqui. (bem perto)
   d. desprezo:
   Que *filminho* monótono!
   e. muitas vezes é usado como forma típica da língua, sem função definida:
   Ele ficou um bom *tempinho* lá.

2. Geralmente a terminação do diminutivo é *inho, inha:*
   escola – escol*inha*
   menino – menin*inho*
   casa – cas*inha*
   rapaz – rapaz*inho*

Usa-se *zinho, zinha* para os seguintes casos:

a. palavras terminadas em sílaba tônica:
café – cafezinho
mulher – mulherzinha
papel – papelzinho

b. palavras terminadas em duas vogais:
pai – paizinho
boa – boazinha

c. palavras terminadas em som nasal:
bom – bonzinho
mãe – mãezinha
irmão – irmãozinho

A. Passe para o diminutivo:

copo ____________________
anel ____________________
baixo ____________________
grande ____________________
chapéu ____________________
rua ____________________
homem ____________________
livro ____________________
amor ____________________
lápis ____________________
nariz ____________________
inteiro ____________________

olhos ____________________
pé ____________________
mão ____________________
irmã ____________________
lição ____________________
jardim ____________________
longe ____________________
pouco ____________________
hotel ____________________
avião ____________________
pão ____________________

B. Classifique os diminutivos:

	objetos pequenos	carinho	ênfase	desprezo	expressão típica da língua
1. Você já leu o jornalzinho da escola?					
2. Ela deixa tudo limpinho.					
3. Ela está tão bonitinha hoje!					
4. Não gosto desta mulherzinha.					
5. O solzinho está gostoso hoje.					
6. Quero só um pouquinho de chá.					
7. Aceita um cafezinho?					
8. Ele tem uma vidinha calma.					
9. Nossa! Que livrinho ruim!					
10. Joãozinho, agora você vai ficar sentadinho aí.					
11. Ela faz uma comidinha gostosa.					
12. O ladrão entrou na casa devagarinho.					

C. Substitua as palavras grifadas pelo diminutivo:

1. Esta menina é *bem bonita,* mas é *muito baixa.*
2. Venha comigo! A loja fica *bem perto* daqui.
3. A empregada já terminou o serviço. A casa está *bem limpa* agora.
4. Não entendo o que ela diz porque ela fala *bem baixo.*
5. Veja esta árvore! Está *bem carregada* de laranjas.
6. Gostei destas roupas e vou comprar todas. Elas são *bem baratas.*
7. A nova secretária é eficiente. Ela faz tudo *bem direito.*
8. Cuide bem da bicicleta. Ela é *bem nova,* ainda.
9. Tenha modos! Você já está *bem grande* para fazer estas brincadeiras.
10. Gosto do café *bem doce.*

Faz dez anos que eu trabalho aqui = *Há dez anos* eu trabalho aqui.
Ele esteve aqui *faz muito tempo* = Ele esteve aqui *há muito tempo.*

D. Substitua o verbo grifado. Faça outras modificações, se necessário.

1. Estivemos em Bruxelas *há* cinco anos.
2. *Há* dois meses eu não o vejo.
3. Lúcia e André se separaram *há* alguns anos.
4. *Há* dois dias ele saiú do hospital e já está trabalhando.
5. *Há* quanto tempo nós nos conhecemos?
6. Não sei exatamente. Já *há* muito, muito tempo.

Você deve estar enganado.

Ele *deve ser* americano.
Ele *deve estar* cansado.

E. Complete com a palavra indicada na forma adequada:

1. (adiantado) Tenho um encontro com Lúcia às 10 horas. Ela é muito pontual, mas já são 10h15 e ela ainda não chegou.
   Meu relógio deve estar adiantado.
2. (cansado) Vera, você trabalhou o dia todo sem parar. Você deve estar ____________.
3. (contente) O filho deles passou em primeiro lugar. Eles ____________ ____________ ____________.
4. (doente) O sol está muito quente, mas estas crianças estão com frio. Elas ____________ ____________ ____________.
5. (antigo) Estes quadros são muito caros. Eles ____________
6. (rico) Eles ganharam muito dinheiro na Bolsa. Eles ____________
7. (rico) Elas viajam para a Europa duas vezes por ano. Elas ____________ ____________.
8. (estragado) Este patê está com um gosto estranho. Ele ____________
9. (quebrado) Esta janela não quer abrir. Ela ____________
10. (estrangeiro) Elas não entendem o que dizemos. Elas ____________
11. (feliz) Seus trabalhos foram aprovados. Eles ____________
12. (feliz) Eles estão casados faz vinte anos. Eles ____________

Canção popular

"Terezinha de Jesus
De uma queda foi ao chão,
Acudiram três cavalheiros,
Todos três, chapéu na mão.

O *primeiro* foi seu pai,
O *segundo* seu irmão,
O *terceiro* foi aquele
A quem Tereza deu a mão."

Ordinais

1º – primeiro(s), primeira(s)
2º – segundo(s), segunda(s)
3º – terceiro(s), terceira(s)
4º – quarto(s), quarta(s)
5º – quinto, etc.
6º – sexto
7º – sétimo
8º – oitavo
9º – nono
10º – décimo
11º – décimo-primeiro
12º – décimo-segundo
20º – vigésimo
21º – vigésimo-primeiro
30º – trigésimo
40º – quadragésimo
50º – quinqüagésimo
60º – sexagésimo
70º – septuagésimo
80º – octagésimo
90º – nonagésimo
100º – centésimo
1000º – milésimo
1000000º – milionésimo

F. Escreva por extenso:

1. 16º ______________________
2. 24º ______________________
3. 35º ______________________
4. 52º ______________________
5. 13º ______________________
6. 47º ______________________
7. 88º ______________________
8. 99º ______________________
9. 19º ______________________
10. 61º ______________________
11. 102º ______________________
12. 1000º ______________________
13. 76º ______________________
14. 29º ______________________
15. 15º ______________________

G. Complete com ordinais:

1. (2º – 5º) Minha mãe foi a_______ a chegar. Minhã irmã foi a _______ _____________.
2. (24º) Ela mora no_____________ andar.
3. (17º) Nosso escritório fica no_____________ andar.
4. (6º) Esta é a_______ vez que telefono para ela. Ela nunca está em casa.
5. (13º) O_____________candidato foi embora antes da entrevista.
6. (1º) Não gostei nem da_____________ e nem da última.
7. (1º – 2º – 3º) Janeiro é o_______ mês do ano, fevereiro é o_______ _______ e o _______ mês é março.
8. (4º – 5º – 6º) Abril é o _______ mês do ano, maio é o_______ e junho, é claro, é o _______.
9. (7º – 8º – 9º) Julho é o _______, agosto o _______ e setembro o _______.
10. (10º – 11º – 12º) Outubro é o _______ mês do ano, novembro o _______ e dezembro, o_______, é o último mês do ano.
11. (1º) Só aceitaremos as_______sugestões.

Meses do ano*

janeiro	julho
fevereiro	agosto
março	setembro
abril	outubro
maio	novembro
junho	dezembro

* O nome dos meses, em português, é escrito com inicial minúscula.

H. Diga de outra forma:

– *Droga!* Roubaram meu carro. _____________
– *Calma! Vamos ver este negócio.* _____________
– *Mas que coisa!* _____________
– *Não há outro remédio.*_____________
– Eu o estacionei *pertinho* daquela árvore._____________
– *Agorinha.* Eu o vi *agorinha.* _____________
– Não *faz* nem dez minutos._____________
– Era *novinho em folha.* _____________
– *Temos que* ir à polícia. _____________

Texto Narrativo

Um pouco de nossa história

O Brasil não é um país muito antigo. Ele ainda não tem 500 anos, mas muita coisa já aconteceu desde que os portugueses aqui chegaram em 1500. O Brasil, durante 300 anos como colônia de Portugal, desenvolveu-se lentamente. Mas, em fins de 1807, D. João VI e a família real portuguesa abandonaram Lisboa e instalaram-se no Rio de Janeiro, devido à invasão de Portugal pelos exércitos de Napoleão.
O Rio de Janeiro, naquela época, era uma pequena cidade de 60.000 habitantes e a chegada da corte portuguesa com 15.000 pessoas mudou completamente a vida do lugar.
O país progrediu bastante com a presença da corte.
Em 1821, D. João VI voltou para Portugal, mas deixou em seu lugar o seu filho D. Pedro, o príncipe herdeiro.
D. Pedro tinha 9 anos, quando chegou ao Brasil. Foi criado em liberdade e amava a nova terra como sua segunda pátria.
Depois da partida de seu pai, D. Pedro ficou numa situação difícil. De um lado, devia defender os interesses de Portugal, que não queria a nossa liberdade. De outro, sentindo-se também brasileiro, compreendia o desejo de independência do país.
A 7 de setembro de 1822, D. Pedro, contrariando as intenções de Portugal, proclamou a nossa independência. Isso aconteceu em São Paulo, às margens do riacho Ipiranga. D. Pedro tinha vindo a esta província a fim de acalmar os patriotas, que exigiam a independência. Voltando de Santos, parou, com sua comitiva, às margens daquele riacho. Recebeu aí um mensageiro com a correspondência da corte portuguesa. Irritado com a carta de seu pai, que lhe ordenava voltar para Portugal, D. Pedro arrancou do chapéu as fitas com as cores portuguesas e, erguendo a espada, gritou: "Independência ou Morte!"

A. Responda:

1. A colonização do Brasil foi rápida?
2. Por que a vinda da família real portuguesa foi importante para o Brasil?
3. O Brasil tinha condições para receber a corte portuguesa? Por quê?
4. Por que D. Pedro ficou no Brasil?
5. Por que D. Pedro se sentia, também, brasileiro?
6. Qual era o ambiente político no Brasil por volta de 1821?
7. Por que nossa independência foi proclamada em São Paulo e não no Rio de Janeiro?
8. A história de seu país é muito antiga? Conte um episódio interessante.
9. Descreva o quadro de Pedro Américo, que ilustra este texto.

Faça agora o Teste 5 do Caderno de Testes.

Canções folclóricas e populares

Mulher rendeira

Olé mulher rendeira
Olé mulher rendá
Tu me ensinas a fazer renda
Que eu te ensino a namorar

Lampião desceu a serra
Deu um baile em Cajazeiras
Botou as moças donzelas
Prá cantar mulher rendeira

Olé mulher rendeira
Olé mulher rendá . . .

O mar (Dorival Caymmi)

O mar, quando quebra na praia,
É bonito, é bonito!
O mar, pescador quando sai,
Nunca sabe se volta, nem sabe se fica.
Quanta gente perdeu seus maridos, seus filhos,
Nas ondas do mar.
O mar, quando quebra na praia,
É bonito, é bonito!

Pedro vivia da pesca,
Saía no barco seis horas da tarde.
Só vinha na hora do sol raiar.
Todos gostavam de Pedro,
E mais do que todos Rosinha de Chica,
A mais bonitinha e mais bem feitinha
De todas as mocinhas lá do arraial.

Pedro saiu no seu barco seis horas da tarde,
Passou toda a noite
E não veio na hora do sol raiar.
Deram com o corpo de Pedro jogado na praia,
Roído de peixe,
Sem barco, sem nada, num canto bem longe
Lá do arraial.

Pobre Rosinha de Chica que era bonita,
Agora parece que endoideceu:

Vive na beira da praia, olhando pras ondas,
Rondando, andando, dizendo baixinho,
Morreu, morreu . . . . .

O mar quando quebra na praia
É bonito, é bonito . . . . .

Minha jangada (Dorival Caymmi)

Minha jangada vai sair pro mar,
Vou trabalhar, meu bem querer,
Se Deus quiser, quando eu voltar do mar
Um peixe bom eu vou trazer,
Meus companheiros também vão voltar
E a Deus do céu vamos agradecer.

Cidade Maravilhosa (André Filho)

Cidade maravilhosa,
Cheia de encantos mil
Cidade maravilhosa,
Coração do meu Brasil

Berço do samba e das lindas canções
Que vivem n'alma da gente,
És o altar dos nossos corações
Que cantam alegremente

Jardim florido de amor e saudade,
Terra que a todos seduz.
Que Deus te cubra de felicidade
Ninho de sonho e de luz.

Unidade 11

Progresso é progresso

— Você está louco! Construir aqui na avenida Paulista?
Isto nunca vai ser possível.
— Por que não?
— Porque é caro demais, ora essa! Cada centímetro vale ouro. E depois, onde vamos achar uma casa à venda, por aqui?
— Veja, por exemplo, aquela, na esquina. Eu soube que os proprietários querem vendê-la. O ponto é ideal.
— Mas, por que querem vendê-la? Qualquer um gostaria de ter uma casa como esta.
— Problemas de família. . . O primeiro dono faleceu há um ano e deixou herdeiros. Eles tinham resolvido alugar a casa, mas depois desistiram e agora decidiram vendê-la.
— É uma boa oportunidade e não devemos perdê-la.
Para falar a verdade, eu já tinha pensado nisso. Só faltava coragem. . .
— Deve haver vários interessados. Vamos ver se conseguimos fechar o negócio antes dos outros.
— Tomara! Mas olhe! Que casa bonita! Que pena demoli-la!
— De fato é muito bonita. Mas o que é que se vai fazer? Progresso é progresso.
— Mesmo assim é uma pena!

Pronomes Indefinidos (2)

Cada centímetro vale ouro.

Cada sala tem duas janelas.
Cada um receberá cem cruzeiros.

Ele deixou vários herdeiros.

Fiz vários negócios com ele.
Várias pessoas estavam interessadas no negócio.

Vamos fechar o negócio antes dos outros.

Volte outro dia.
Não gostei desta casa. Vamos procurar outra.

Qualquer um gostaria de ter uma casa como esta.

Qualquer dia destes vou visitá-la.

A. Complete com: cada, vários, várias, outro, outra, outros, outras, qualquer:

1. Ele deu um presente para ______________ criança.
2. ______________ aluno recebeu um livro.
3. Preciso falar com ele, mas ele não está. Voltarei ______________ dia.
4. Não gostei desta blusa. Quero ver ______________.
5. Já li todas estas revistas. Vou comprar ______________.
6. Não desanime! Tente ______________ vez.
7. O que você quer comer? Tanto faz. ______________ coisa.
8. ______________ dia destes ele vai aparecer.
9. Este é um trabalho muito fácil. ______________ pessoa pode fazê-lo.
10. Que jornal você quer? O "Estado" ou a "Folha"? Tanto faz. ______________ um serve.
11. Telefonei para ele ______________ vezes, mas não o encontrei em casa.
12. Tenho ______________ amigos na Europa.
13. O dentista tem uma ficha de ______________ cliente.
14. Este livro não serve. O senhor não tem ______________?
15. Estas cadeiras não servem. O senhor não tem ______________?
16. Esta bicicleta não serve. É muito grande. O senhor não tem ______________?

17. O que vamos tomar? Tanto faz. ______________ coisa.
18. ______________ dia vou visitá-lo.
19. Que cor você prefere? É indiferente. ______________ uma.
20. Quanto custa ______________ maçã? Dez cruzeiros ______________
21. E o caqui? Oito cruzeiros______________ .
22. Estou preocupado. Tenho ______________ problemas para resolver.
23. Já fomos à casa deles______________ vezes.
24. O regime que ela faz é muito bom. Ela já perdeu ______________ quilos.
25. Não adianta dar conselhos. ______________ um é dono do seu nariz.

B. Faça sentenças

1 – outro	
2 – outras	
3 – cada	
4 – qualquer	
5 – vários	
6 – várias	

Modo Indicativo

Presente	**Pretérito Imperfeito**	**Pretérito Perfeito**
SAIR		
Eu saio	Eu saía	Eu saí
Ele sai	Ele saía	Ele saiu
Nós saímos	Nós saíamos	Nós saímos
Eles saem	Eles saíam	Eles saíram

Futuro do Presente

Eu sairei
Ele sairá
Nós sairemos
Eles sairão

– *Como sair*: cair, trair, atrair, subtrair.

A. Complete com o verbo no tempo adequado:

1. (sair) Não ______________ ontem porque estava chovendo.
2. (atrair) O açúcar ______________ as formigas.

3. (cair) Cuidado com os buracos. Você pode ____________ .
4. (cair) No ano passado, o Natal ____________ numa 4ª feira.
5. (sair) Quando eu era criança, não ____________ muito de casa.
6. (sair) Amanhã, queremos ir ao cinema, mas não ____________ com chuva.
7. (sair) Por favor, a que horas as crianças ____________ da escola?
8. (cair) Ele ____________ e quebrou a perna.
9. (atrair) Vitrinas bonitas sempre ____________ os fregueses.
10. (cair) Os pobres soldados ____________ na armadilha do inimigo.
11. (sair) Eu nunca ____________ sozinha.
12. (subtrair) Ele errou o problema porque ____________ em vez de somar.
13. (trair) Ele é um homem de confiança, não ____________ nunca seus amigos.
14. (trair) Pode ficar tranqüilo, eu não ____________ nunca meus amigos.
15. (atrair) Não vou entrar neste cinema, pois este gênero de filme não me ____________ .

Contexto

Doce lar eletrônico

A era do computador doméstico já começou, pelo menos nos países adiantados. À venda, desde 1977, estes novos membros da família fazem de tudo, desde lavar o quintal até servir um jantar de cerimônia. Veja,

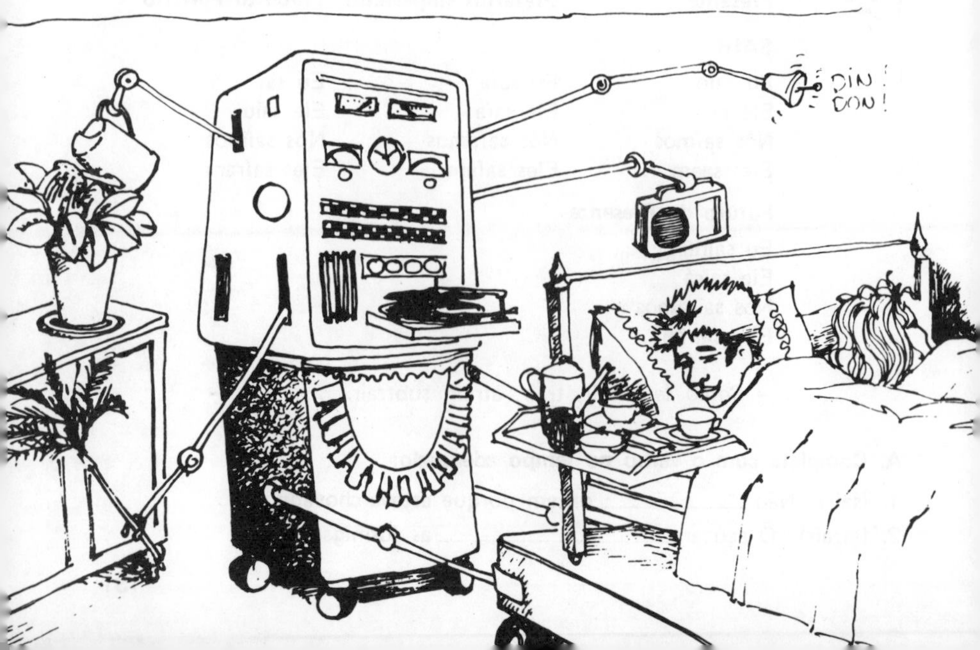

na casa do Sr. Paulo Afonso Xavier, um especialista em audio-visuais, o computador mantém permanentemente a temperatura e o grau de umidade do ar preferidos pelo proprietário, põe seu disco favorito na vitrola, acorda-o de manhã, providencia o café e informa-o sobre os compromissos do dia, além de regar as plantas e assar o peru para o jantar. Xavier está feliz. Antes de instalar o computador em sua casa, ele vivia às voltas com problemas pequenos, mas irritantes e até já tinha desistido de procurar solução para eles. Foi então que ouviu falar do computador doméstico.

As pessoas que adotaram o computador doméstico realmente simplificaram a vida. O computador atende à porta, dá recados, acende luzes, armazena informações, como receitas, compromissos, dias de pagar contas. Ele também controla a segurança da casa, através de um sistema de alarmes contra ladrões e detectores de fumaça, ligados diretamente à delegacia de polícia mais próxima ou ao Corpo de Bombeiros.

O computador é controlado para gastar o mínimo de energia. Conforme a temperatura, ele pode, por exemplo, desligar o condicionador de ar e abrir as janelas. Mas, a característica mais importante desse sistema é a sua simplicidade, já que não é necessário ser um especialista de programação para usá-lo. Depois de dois dias de treinamento, o dono da casa, sozinho, já pode fazê-lo funcionar.

Adaptado de "Doce lar eletrônico"
"Veja" – 5/12/79 – pág. 56

Compreensão e Vocabulário

A. Certo ou errado?

O computador doméstico:

1. paga contas ____________
2. está no mercado há cinco anos ____________
3. simplifica a vida do seu proprietário ____________
4. apaga incêndios ____________
5. economiza energia ____________

B. Complete com um verbo do texto no presente simples:

O computador ____________ discos na vitrola, ____________ a porta, ____________ a temperatura do ambiente, ____________ o café, ____________ as plantas, ____________ o peru, ____________ o quintal, ____________ recados, ____________ luzes, ____________ ____________ o condicionador de ar e ____________ jantares de cerimônia.

C. Explique:

1. A era do computador. ______________________________
2. Ele rega as plantas. ______________________________
3. Ele simplifica a vida. ______________________________
4. Ele vivia às voltas com problemas pequenos. ____________________
5. Ele procura solução para seus problemas. ____________________
6. Ele é controlado para gastar o mínimo de energia. ________________

D. Complete com até:

1. Ela fala várias línguas, ______________ japonês.
2. Ele conhece muitos países, ____________ a Tailândia.
3. Joaquim já fez várias coisas na vida. Ele já foi ___________ jogador de futebol.

E. Na sua opinião, quais são as duas maiores vantagens do computador doméstico?

1. ____
____
2. ____
____

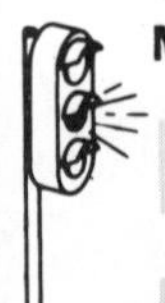

Mais-Que-Perfeito

Eles tinham resolvido alugar a casa mas depois desistiram.

Ele já tinha desistido de procurar a solução.

Indicativo

Mais-Que-Perfeito

MORAR	VENDER	PARTIR
Eu tinha morado	Eu tinha vendido	Eu tinha partido
Ele tinha morado	Ele tinha vendido	Ele tinha partido
Nós tínhamos morado	Nós tínhamos vendido	Nós tínhamos partido
Eles tinham morado	Eles tinham vendido	Eles tinham partido

A. Complete com o Mais-Que-Perfeito:

1. (pensar) Ele queria passar as férias nas montanhas. Ela já ___________ nisso.

2. (resolver) Eu já ______________ sair quando ela telefonou.
3. (partir) O avião já ______________ quando chegamos ao aeroporto.
4. (comprar) Ela gostou daquele apartamento, mas você já ______________ uma casa.
5. (ir) Quando o professor chegou, os alunos já ______________ embora.
6. (vender) Nós fomos para o Rio de ônibus porque ______________ nosso carro.

Particípio

Particípios Regulares

andar — andado
falar — falado
comer — comido
beber — bebido
decidir — decidido
insistir — insistido

Particípios Irregulares

ganhar — ganho
gastar — gasto
pagar — pago
dizer — dito
fazer — feito
escrever — escrito
ver — visto
abrir — aberto
cobrir — coberto
vir — vindo
pôr — posto

B. Complete com o Particípio:

1. (ver) Ele nunca tinha ______________ mulher tão bonita.
2. (falar) Eles já tinham ______________ com o diretor.
3. (assistir) O público tinha ______________ à peça em perfeito silêncio.
4. (vender) Nós queríamos comprar aquela casa, mas ele já a tinha ______________ .
5. (decidir) As crianças queriam ir à praia, mas os pais tinham ______________ ir às montanhas.
6. (ganhar) Ela tinha ______________ um carro novo.
7. (dizer) Ninguém acreditou, mas ele tinha ______________ a verdade.
8. (fazer) Vocês já tinham ______________ este tipo de trabalho?

9. (abrir) Quando a secretária chegou, ele já tinha ______________ toda a correspondência.
10. (escrever) Até a tarde, ela já tinha ______________ dez cartas.
11. (jantar) Ele já tinha ______________ quando você chegou.
12. (começar) O filme ainda não tinha ______________ quando chegamos ao cinema.
13. (dizer) Nós não tínhamos ______________ "até logo" quando ele fechou a porta.
14. (escrever) Ele não tinha ainda ______________ o seu melhor livro quando recebeu o prêmio.
15. (ver) Quando assinaram o contrato, elas ainda não tinham ______________ o apartamento.
16. (fazer) Ela nunca tinha ______________ um discurso antes.
17. (usar) Ela nunca tinha ______________ um vestido tão moderno antes.
18. (pôr) Elas nunca tinham ______________ mesa para tantas pessoas antes.
19. (escrever) Eu nunca tinha ______________ tanta bobagem antes.
20. (andar) Nós nunca tínhamos ______________ de bicicleta antes.

C. Complete com o Mais-Que-Perfeito:

1. (ver) Eu nunca ______________ nada igual.
2. (pagar) Nós nunca ______________ nada.
3. (escrever) Vocês nunca ______________ nada.
4. (fazer) Eles não ______________ nada.
5. (dizer) Eles nunca ______________ nada.
6. (dirigir) Ela nunca ______________ um caminhão.
7. (beber) Ela não ______________ nada.
8. (comprar) Você não ______________ nada.
9. (abrir) A gente nunca ______________ o cofre.
10. (cobrir) Ela já ______________ o bolo com chocolate.
11. (descobrir) A polícia não ______________ nada.
12. (ganhar) Este time nunca ______________ o campeonato.
13. (aplicar) Nós nunca ______________ dinheiro na Bolsa.
14. (depositar) Vocês nunca ______________ dinheiro neste banco.
15. (receber) Eu nunca ______________ carta dele.

16. (vir) Eles nunca ______________________ ao Brasil.
17. (pôr) A senhora nunca ______________________ óculos escuros.
18. (correr) Ela já ______________________ duzentos metros.
19. (gastar) Nós já ______________________ todo o dinheiro.
20. (omitir) Eu ______________________ todos os detalhes.

D. Complete com os verbos do texto "Doce lar eletrônico", no Mais-Que-Perfeito:

O computador ______________________ discos na vitrola, ______________ a porta, ______________________ a temperatura do ambiente, ______________ ______________ o café, ______________________ as plantas, ______________ o peru, ______________________ o condicionador de ar e ______________ ______________________ jantares de cerimônia.

E. Complete o quadro:

VERBO	SUBSTANTIVO
1. partir	a partida
2. chegar	
3.	a saída
4. empregar	
5. trabalhar	
6.	a parada
7. proibir	
8.	a permissão
9. propor	
10. pintar	
11. discutir	
12.	a preferência
13. receber	
14. assinar	
15. voar	
16	o aumento
17.	a resolução

VERBO	SUBSTANTIVO
18. escolher	
19. repor	
20. defender	
21.	a abertura
22. cobrir	
23.	a perda
24.	o prejuízo
25. sugerir	

Intervalo

Irene no céu

Manuel Bandeira

Irene preta
Irene boa
Irene sempre de bom humor

Imagino Irene entrando no céu:
— Licença, meu branco!
E São Pedro bonachão * :
— Entre, Irene. Você não precisa pedir licença.

* *bonachão*: que tem bondade natural (bondoso)

A. Responda:

1. Por que Irene não precisa pedir licença para entrar?
2. A linguagem de Irene é típica de que tipo de pessoa? No caso, quem é o branco?
3. Irene é revoltada contra sua situação? Como sabemos?

Texto Narrativo

Pedras preciosas brasileiras (1)

Quando uma bela esmeralda brilha nas vitrinas de uma joalheria quase ninguém imagina a fascinante viagem que ela faz para chegar até

lá. Tudo começa nos garimpos da Bahia ou de Minas Gerais, onde a esmeralda surge em estado bruto. Aí, só os olhos de um técnico experiente podem ver o seu verdadeiro valor. Dos garimpos ela segue para as oficinas dos lapidários que fazem a transformação: a pedra começa a mostrar todo o seu brilho, toda a sua beleza cobiçada. Finalmente, nas mãos de um ourives, ela transforma-se em jóia e é colocada cuidadosamente nas vitrinas pelo joalheiro, atraindo os olhares dos passantes e seduzindo inúmeras mulheres com o fascínio mágico de sua cor verde.

Este fascínio não atinge só as mulheres. Muitos homens já sentiram profundamente atração por esta sedutora pedra verde.

No Brasil dos tempos coloniais temos a história emocionante e trágica do bandeirante Fernão Dias, o "Caçador de Esmeraldas". Fernão Dias Pais era um bandeirante paulista, muito estimado, não só na Vila de São Paulo, mas também pelo rei de Portugal. Em meados do século XVII, Fernão Dias, com o título de Governador de Esmeraldas, dado pelo rei, saiu de São Paulo para a região das Minas Gerais, à procura das pedras verdes. Durante longos anos, andou pelo sertão e encontrou, próximo ao Rio das Velhas, pedras que julgou serem esmeraldas. Morreu no sertão mineiro, vítima de febre, na ilusão de tê-las encontrado. No entanto, eram apenas turmalinas de pouco valor.

A. Responda:

1. Por que a esmeralda atrai?
2. Dê a trajetória desta pedra até que ela adquira toda a sua beleza.
3. O que faz um garimpeiro? E um lapidário? E um ourives? E um joalheiro?
4. Por que só um técnico experiente percebe o valor da pedra bruta?
5. A esmeralda também o (a) atrai? Por quê?
6. Por que o ouro é importante no mercado internacional?
7. Quem foi Fernão Dias? Qual era seu sonho?
8. Este sonho foi realizado?

B. Baseando-se na trajetória da esmeralda, descreva a transformação que acontece com o ouro até que chegue às vitrinas de uma joalheria.

Ditado: Veja observação à pág. 9.

Unidade 12

I – Num sábado

– Bom dia, senhor. O que vai hoje?
– Estou indo para o Itatiaia. Quero que você faça uma boa revisão no carro.
– O senhor quer que eu veja os pneus, examine a bateria, o óleo e encha o tanque, não é?
– É.
– O senhor prefere que eu ponha gasolina azul?
– Não, a comum mesmo. Quanto tempo vai levar?
– Uns vinte minutos, no máximo.
– Tomara que eu chegue lá com dia claro. O hotel onde vou me hospedar fica longe do centro.

II – No sábado seguinte

– Bom dia, senhor. O que manda hoje?
– O mesmo de sempre. Vou a Itatiaia de novo. O que você acha do tempo?
– Duvido que chova hoje à tarde. Talvez faça um pouco de frio.
– É, é possível que faça frio.

III – Quinze dias depois

– Olá, tudo bem?
– Tudo bem. O mesmo de sempre?
– Não, hoje não. Só gasolina. Não vou ao Itatiaia esta semana.
– É pena que o senhor não vá. O tempo está bom!
– Pois é. Que pena que a gente precise trabalhar num sábado tão bonito!

Rio de Janeiro, 8 de julho de 198. . .

Querida Candinha,

Estou apaixonada por um rapaz, mas acho que ele não gosta de mim. Todos os sábados ele vem ao posto de gasolina, onde trabalho como

caixa, e sempre pede ao empregado que encha o tanque, examine a bateria, veja os pneus e verifique o óleo.
Tento conversar com ele, mas não consigo. Ele está sempre com muita pressa e nem olha para mim. Que devo fazer?
Espero que você me responda logo.

Desesperada da Capital

Rio de Janeiro, 15 de julho de 198 ......

Querida Candinha,

Esta é a segunda carta que lhe escrevo. Talvez você não tenha recebido a primeira. Como lhe disse antes, estou apaixonada por um rapaz, mas duvido que ele me ame.
Para falar a verdade, nem estou certa de que ele me veja, quando vai pagar a conta. Talvez nem mesmo me ouça. Ele só conversa com o empregado que o atende.
Estou muito, muito triste. Que devo fazer? Por favor, peço-lhe que me responda desta vez.

Desesperada da Capital

São Paulo, 22 de julho de 198 ......
Minha cara Desesperada da Capital

Que pena que você não possa ver o que é óbvio: este seu amor não tem futuro. Que pena que você seja tão ingênua! Lamento que você esteja complicando sua vida. Desista deste moço! Esqueça-se dele! Por que você não se interessa pelo rapaz que trabalha com você aí no posto? Talvez ele lhe traga a felicidade com que você está sonhando.

Candinha

Modo Subjuntivo

Presente (1)

Verbos Regulares

MORAR		**ATENDER**		**ABRIR**	
—e		*—a*		*—a*	
Que eu	mor*e*	Que eu	atend*a*	Que eu	abr*a*
Que ele / Que ela / Que você	mor*e*	Que ele / Que ela / Que você	atend*a*	Que ele / Que ela / Que você	abr*a*
Que nós	mor*emos*	Que nós	atend*amos*	Que nós	abr*amos*
Que eles / Que elas / Que vocês	mor*em*	Que eles / Que elas / Que vocês	atend*am*	Que eles / Que elas / Que vocês	abr*am*

Formação

O presente do subjuntivo forma-se a partir da 1ª pessoa do singular do presente do indicativo.

DIZER		**PODER**		**PEDIR**	
(eu *digo* → que eu diga)		(eu *posso* → que eu possa)		(eu *peço* → que eu peça)	
Que eu	dig*a*	Que eu	pos*sa*	Que eu	pe*ça*
Que ele / Que ela / Que você	dig*a*	Que ele / Que ela / Que você	pos*sa*	Que ele / Que ela / Que você	pe*ça*
Que nós	dig*amos*	Que nós	pos*samos*	Que nós	pe*çamos*
Que eles / Que elas / Que vocês	dig*am*	Que eles / Que elas / Que vocês	pos*sam*	Que eles / Que elas / Que vocês	pe*çam*

A. Dê a 1ª pessoa do singular do Presente do Indicativo e do Presente do Subjuntivo:

Presente do Indicativo	**Presente do Subjuntivo**
1. ter — eu ____________	Que eu ____________
2. morar — eu ____________	Que eu ____________
3. fazer — eu ____________	Que eu ____________
4. ver — eu ____________	Que eu ____________
5. pedir — eu ____________	Que eu ____________
6. dizer — eu ____________	Que eu ____________
7. partir — eu ____________	Que eu ____________
8. ouvir — eu ____________	Que eu ____________
9. sair — eu ____________	Que eu ____________
10. dormir — eu ____________	Que eu ____________
11. subir — eu ____________	Que eu ____________
12. vender — eu ____________	Que eu ____________
13. vir — eu ____________	Que eu ____________
14. comprar — eu ____________	Que eu ____________
15. ler — eu ____________	Que eu ____________
16. trazer — eu ____________	Que eu ____________
17. pôr — eu ____________	Que eu ____________
18. preferir — eu ____________	Que eu ____________
19. servir — eu ____________	Que eu ____________
20. desistir — eu ____________	Que eu ____________

B. Complete com o Presente do Subjuntivo:

1. ouvir — Que nós ____________
2. trazer — Que ele ____________
3. partir — Que você ____________
4. pedir — Que o senhor ____________
5. morar — Que elas ____________
6. dizer — Que a senhora ____________
7. subir — Que nós ____________
8. sair — Que ela ____________
9. fazer — Que vocês ____________
10. pôr — Que ele ____________
11. ter — Que nós ____________
12. desistir — Que eles ____________
13. vender - Que as senhoras ____
14. vir — Que nós ____________
15. vir — Que eles ____________
16. chover — Que ____________

Emprego (1)

Caros amigos,
Espero que todos
se *divirtam*.

Caro amigo,
Desejo que venha
amanhã.

Caros amigos,
Lamento que vocês
não *possam* vir à festa.

Prefiro que
você *esqueça*
o caso.

O que você *quer*
que eu faça?

Duvido que ele
aceite o convite.

"*Tomara que chova*
três dias sem parar".

O subjuntivo é introduzido por verbos de: desejo, ordem, dúvida e sentimento.

a. Desejo — Ordem

Desejo que
Quero que
Proíbo que
Espero que
Mando que
Exijo que
Prefiro que
Peço que
Tomara que
→ eles venham

b. Dúvida

Não estou certo que
Não tenho certeza que
Duvido que
Não acho que
Não penso que
Talvez
→ ele venha

c. Sentimento

Estou contente que
Estou triste que
Receio que
Tenho medo que
Lamento que
Sinto que
Que pena que
É pena que

} chova

C. Complete com o Presente do Subjuntivo:

1. (andar) Quero que ele ______________ mais depressa.
2. (vender) Desejamos que vocês ______________ todo o estoque.
3. (partir) Prefiro que eles ______________ sem dizer até-logo.
4. (poder) Tomara que vocês ______________ vir no sábado.
5. (fazer) Peço que vocês não ______________ barulho.
6. (trazer) O que o senhor quer que eu ______________ ?
7. (trazer) Duvido que estas cartas ______________ boas notícias.
8. (mudar) Não acho que eles ______________ de idéia.
9. (ter) Talvez vocês ______________ sorte.
10. (dizer) Não penso que ele sempre ______________ a verdade.
11. (gostar) Sinto que você não ______________ de meus amigos.
12. (poder) Lamento que eles não ______________ esperar.
13. (desistir) Receio que a senhora ______________ de seus planos.
14. (sair) Tenho medo que ele ______________ tarde.
15. (ter) Que pena que nós não ______________ tempo.
16. (acordar) Tenho medo que ele ______________ tarde.
17. (poder) Estou contente que ele ______________ vir à festa.
18. (vir) Espero que nossos amigos ______________ nos receber.
19. (entrar) O diretor exige que nós ______________ na hora.
20. (lembrar-se) Duvido que ela ______________ do compromisso.

D. Complete com o Presente do Subjuntivo:

1. (comer – dormir) A mãe quer que o menino ______________ tudo e ______________ bem.
2. (esperar) Peço-lhes que me ______________ até às 10 horas.
3. (dizer) Duvido que ele ______________ a verdade.
4. (ouvir) Sinto que você não me ______________ .
5. (descobrir) Talvez um dia nós ______________ o que aconteceu.

6. (entender) Espero que vocês me ____________.
7. (fazer) Como você quer que a gente ____________ isto?
8. (encontrar) Tomara que eu as ____________ em casa.
9. (sair) Espero que eles ____________ já.
10. (vir) Não queremos que vocês ____________ amanhã.

Atenção! Mudanças ortográficas.

ficar – (eu fico) ——→ que eu fique
chegar – (eu chego) ——→ que eu chegue
conseguir*– (eu consigo) ——→ que eu consiga
começar – (eu começo) ——→ que eu comece
esquecer – (eu esqueço) ——→ que eu esqueça
dirigir – (eu dirijo) ——→ que eu dirija

*conseguir – conjuga-se como *vestir*: eu v*i*sto, ele v*e*ste
eu cons*i*go, ele cons*e*gue.

E. Faça sentenças:

1. pagar a conta – Ele quer que eu pague a conta.
2. ficar em casa – Ele quer que ela ____________.
3. começar o trabalho – Ele quer que nós ____________.
4. pegar o ônibus – Ele duvida que ____________.
5. verificar o óleo – Ele exige que ____________.
6. chegar às duas – Ele prefere que ____________.
7. ficar contente – Ele espera que ____________.
8. dirigir devagar – Ele pede que ____________.
9. alugar a casa – Ele receia que ____________.
10. esquecer o que aconteceu – Ele duvida que ____________.

F. Faça sentenças:

1. perder o trem – Talvez ele perca o trem.
2. não falar comigo – Talvez ____________.
3. fazer barulho – Talvez ____________.
4. ter azar – Talvez ____________.
5. desistir da idéia – Tomara que ____________.
6. não chover hoje à noite – Tomara que ____________.
7. dormir a noite toda – Tomara que ____________.
8. pôr o terno claro – Tomara que ____________.
9. não servir – Que pena que ____________.

10. ganhar pouco – Que pena que ______________________.
11. trabalhar o dia inteiro – Que pena que ______________________.
12. não conhecer Susana – Que pena que ______________________.
13. não poder vir – É pena que ______________________.
14. não ter amigos aqui – É pena que ______________________.
15. não gostar da gente – É pena que ______________________.
16. ter idéias malucas – É pena que ______________________.

Contexto

A sogra

Ele morava no Rio e era funcionário público estadual. Casado com uma mineira, levava uma vidinha quieta e sossegada.
Um dia, no entanto, algo aconteceu. Sua sogra precisava ir a Minas ver uma fazendinha que o marido tinha deixado. A fazenda, cujas terras estavam abandonadas, ficava no Triângulo Mineiro. Foram os três, de Volks, ele, a mulher e a sogra. Na fazenda, a velha teve uma síncope fulminante. Levaram-na correndo para Uberaba. Tinha morrido mesmo. Enterrar, onde? Ali? O sogro estava no túmulo da família, no Caju. O jeito era voltar logo para o Rio, para fazer o enterro. Voltaram. A sogra deitada no fundo do carro, coberta com uma mantilha de renda, a mulher chorando baixinho, entre o desconsolo e a compreensão, e ele, a noite inteira, firme no volante, comendo asfalto. Não parava para nada. Só gasolina e arrancava logo. Lá atrás, balançando, o cadáver miúdo da velhinha.
Depois de Juiz de Fora, já madrugada, a fome apertou. No primeiro posto, saíram um instante para ir ao banheiro e comer sanduíche. A chave ficou no carro. Era um minuto só e a sogra estava ali, embora morta, vigilante. Quando voltaram, o pior tinha acontecido. O carro não estava onde ele o tinha deixado. Alguém o tinha levado. Polícia, amigos, anúncio em jornal. Tentaram tudo.
Até hoje, nem carro, nem sogra.

(Adaptado de "A sogra" – Sebastião Nery – Folha de São Paulo – 2/12/79)

Compreensão e Vocabulário

A. Escolha a alternativa correta:

1. Na fazenda a velha teve uma síncope fulminante. Levaram-na correndo para Uberaba. Tinha morrido mesmo.
   a. A sogra morreu em Uberaba.
   b. A sogra foi correndo para Uberaba.
   c. A sogra morreu na fazenda.
   d. A sogra morreu a caminho de Uberaba.

2. Depois de Juiz de Fora, já madrugada, a fome apertou. No primeiro posto, saíram um instante para ir ao banheiro e comer sanduíche.
   a. Pararam no primeiro posto que encontraram depois de sair de Uberaba.
   b. Pararam no primeiro posto que encontraram na madrugada.
   c. A fome apertou porque já era madrugada.
   d. Este era o primeiro posto em que paravam.

B. Responda oralmente sem recorrer ao texto:

1. O que você sabe sobre o genro?
2. Por que os três foram a Minas?
3. O que você sabe sobre a fazenda?
4. Por que não enterraram a sogra em Minas?

Modo Indicativo

Mais-Que-Perfeito (forma simples)

O carro não estava onde ele o tinha deixado.
O carro não estava onde ele o deixara.

MORAR

Eu morara
Ele / Ela / Você morara

Nós moráramos
Eles / Elas / Vocês moraram

ATENDER

Eu atendera
Ele / Ela / Você atendera

Nós atendêramos
Eles / Elas / Vocês atenderam

ABRIR

Eu abrira
Ele / Ela / Você abrira

Nós abríramos
Eles / Elas / Vocês abriram

Formação

O mais-que-perfeito é formado a partir da 3ª pessoa do plural do perfeito.

Perfeito		**Mais-que-perfeito**
Eles pagaram	→	Eu pagara
Eles venderam	→	Eu vendera
Eles insistiram	→	Eu insistira
Eles foram (ser)	→	Eu fora
Eles estiveram	→	Eu estivera
Eles tiveram	→	Eu tivera
Eles foram (ir)	→	Eu fora
Eles trouxeram	→	Eu trouxera
Eles puseram	→	Eu pusera

A forma simples do mais-que-perfeito é muito pouco usada em conversação.

A. Dê o Mais-Que-Perfeito, forma simples:

1. almoçar (eles almoçaram) — Eu almoçara
2. cuidar (eles cuidaram) — Você ______
3. correr ______ — Nós ______
4. perceber ______ — Eles ______
5. insistir ______ — Vocês ______
6. desistir ______ — Nós ______
7. saber ______ — Eu ______
8. dar ______ — Ela ______
9. ver ______ — Nós ______
10. vir ______ — Ela ______

B. Passe o Mais-Que-Perfeito forma simples, para a forma composta:

1. Eu já *jantara* quando ele telefonou.

______

2. Ela já *abrira* a porta quando ele tocou a campainha.

______

3. Quando a notícia chegou, nós já *partíramos.*

______

4. Quando eu nasci, meu avô já *morrera*.

______

5. O ladrão ainda não *fora* embora, quando a polícia chegou.

____

6. Quando o elevador chegou, ela ainda não se *despedira* da amiga.

____

7. Eu estava nervoso porque nada *dera* certo.

____

8. Nós estávamos preocupados porque ele ainda não *telefonara*.

____

9. Ele estava contente porque *encontrara* Mariana.

____

10. Eles estavam com fome porque não *comeram* nada.

____

Pronomes Relativos

Os pronomes relativos podem ser: variáveis e invariáveis.

I — Invariáveis: que / quem / onde

Que

Ela foi ver a fazendinha que o marido tinha deixado.

Ele deu uma gorjeta para o empregado que o tinha atendido.

A. Complete com que:

1. Não recebi a carta ______________ ele escreveu.
2. Gosto da moça ______________ trabalha no posto.
3. Lemos os livros ______________ você nos deu.
4. As meninas ______________ vieram aqui fizeram muito barulho.
5. Os rapazes ______________ trabalham nesta firma são estrangeiros.

B. Una as orações empregando o pronome relativo que:

1. A revista é cara. Eu comprei *a revista.*
   A revista *que* comprei é cara.
2. Ele não recebeu a carta. Eu lhe escrevi *a carta.*
   Ele não recebeu a carta ______________ eu lhe escrevi.
3. O relógio era de seu pai. Ele perdeu *o relógio.*
   O relógio ________ ________ ________ era de seu pai.
4. O carro era velho. Eles venderam *o carro*.

   ____

5. Os papéis são importantes. Nós temos *estes papéis*.

____

6. As entradas para o teatro já estão reservadas. Eles vão pagar *as entradas*. ______________________________

____

7. O carro é novinho. Ela viu *o carro* ontem.

____

8. A fazenda é muito grande. Ele herdou *a fazenda*.

____

9. Não conheço o rapaz. Ela ama *este rapaz*.

____

10. Temos muitos parentes. Nem conhecemos *os parentes*.

____

11. Vimos o filme. Você tinha recomendado *o filme*.

____

12. Temos um novo vizinho. *Ele* veio dos E.U.A.

____

13. Ele herdou uma fazendinha. *Ela* fica no Triângulo Mineiro.

____

14. Recebemos muitas cartas. *Elas* vêm do exterior.

____

15. Recebemos muitos amigos. *Eles* vêm do interior.

____

Quem

Refere-se a pessoa e vem sempre precedido de preposição: de, com, por, para, contra, a, etc.
Ex. A moça com quem falei estava nervosa.

C. Complete com a preposição + quem :

1. O rapaz __________ __________ lhe falei ontem está aqui.
2. Minha filha, __________ __________ faço tudo, é muito carinhosa.
3. O diretor __________ __________ trabalho nunca está contente.
4. O rapaz __________ __________ saí ontem era espanhol.
5. Este é o rapaz __________ __________ sempre penso.
6. Não conheço o casal __________ __________ você deu nosso endereço.

D. Una as orações empregando o pronome relativo quem :

1. O rapaz é americano. Trabalho com *este rapaz*.
   O rapaz *com quem* trabalho é americano.

2. Este rapaz não gosta de mim. Eu gosto *do rapaz*.
O rapaz de quem eu ________________________________

3. Os tios são ricos. Ela mora com *eles*.
____

4. A moça estava ocupada. Ela pediu uma informação para *a moça*.
____

5. Os amigos são atenciosos. Escrevemos sempre para *eles*.
____

6. Nossos adversários são fortes. Jogamos sempre contra *eles*.
____

7. João e Maria casam-se hoje. Desejamos muitas felicidades a *eles*.
____

8. Nossos tios chegarão no mês que vem. Enviamos uma carta a *eles*.
____

9. Nossos companheiros de viagem vêm nos visitar nesta Páscoa. Demos nosso endereço a *eles*.
____

10. A sobrinha é mal agradecida. Eles deixaram toda a fortuna para *ela*.
____

11. A sogra nunca está contente. Ele faz tudo para *ela*.
____

12. A moça é advogada. Ele se casou com *ela*.
____

13. Pedro é nosso vizinho. Meu filho sempre brinca com *ele*.
____

14. O jornaleiro é muito engraçado. Eu converso sempre com *ele*.
____

15. A telefonista estava nervosa. Falei com *ela* hoje de manhã.
____

Onde

O hotel onde vou me hospedar fica longe do centro.

E. Complete com onde :

1. A casa ____________ vou morar é velha.
2. A garagem ____________ tinha deixado o carro está fechada.
3. A firma ____________ eu trabalho é muito grande.
4. A rua ____________ ele mora é estreita e escura.
5. O cinema ____________ perdi minha bolsa fica do outro lado da cidade.

F. Una as orações empregando o pronome relativo onde:

1. A cidade é calma. Moramos *nesta cidade*.
   A cidade onde moramos é calma.
2. O escritório é grande e claro. Trabalho neste escritório.
   ____
3. A fábrica era moderna. O incêndio começou nesta fábrica.
   ____
4. O hotel fica nas montanhas. Os jogadores hospedam-se sempre neste hotel. ______________________________
5. O carro está na polícia. O crime foi cometido neste carro.
   ____
6. O livro estava no velho armário da sala. O documento foi achado no livro. ______________________________
7. O canal "10" é o melhor de todos. Há sempre bons filmes neste canal.
   ____
8. A praia é pouco conhecida. Meu filho foi passar as férias nesta praia.
   ____
9. O colégio é muito antigo. Estudei neste colégio.
   ____
10. A rua XV de Novembro fica longe. Ela mora nesta rua.
    ____

II – Variáveis: { o qual, a qual / os quais, as quais }

{ cujo – cuja / cujos – cujas }

O qual

Geralmente, os pronomes relativos invariáveis (que, quem, onde), quando precedidos de preposição, podem ser substituídos por:

o qual, a qual, os quais, as quais

Ex.: O homem com o qual falei era o gerente. (= com quem)
A estrada pela qual passei era deserta. (= por onde)

G. Substitua que, quem, onde, por o qual, a qual, os quais, as quais:

1. O livro de que falo recebeu o prêmio do ano.
   ____

2. O problema em que penso noite e dia não tem solução.

____

3. Esperamos a resposta de que depende o futuro da firma.

____

4. As amigas com quem moro não são muito compreensivas.

____

5. Gosto muito do meu vizinho de apartamento, com quem sempre converso.

____

6. O bairro onde ele mora tem várias lojas importantes.

____

7. Tenho alguns amigos em Portugal em quem penso sempre.

____

8. Tenho alguns amigos nos E.U.A. com quem mantenho correspondência.

____

9. Espero uma carta de Paulo para quem pedi ajuda.

____

10. Aqui estão os alunos de quem lhe falei.

____

H. Complete com as formas variáveis do pronome: o qual, os quais . . .

1. (sair com) Os jovens __________ __________ __________ sempre saímos são alegres.
2. (falar com) Meu vizinho, __________ __________ __________ falo muito, é sempre amável comigo.
3. (gostar de) Nossos professores, __________ __________ gostamos muito, são todos brasileiros.
4. (comprar para) Estas crianças, __________ __________ __________ compramos estes doces, são nossas sobrinhas.
5. (escrever para) Meus pais, __________ __________ __________ escrevo sempre, moram em Portugal.

cujo — cuja
cujos — cujas **indicam posse**

Ex.: A fazenda, cujas terras estavam abandonadas, ficava no Triângulo Mineiro.

I. Complete com o pronome relativo cujo:

1. O menino, __________ pai era francês, era nosso vizinho.
2. A casa, __________ dono está na Europa, está abandonada.

3. Meu carro, ____________ licença estava vencida, foi multado.
4. Esta cidade, ______________ habitantes são hospitaleiros, é muito antiga.
5. Estas árvores, ______________ folhas são perfumadas, sempre cresceram no meu quintal.

J. Una as orações empregando os pronomes relativos cujo, cuja . . .

1. O carro era americano. As luzes do carro estavam apagadas.
____
2. O prédio ficava na rua principal. A porta do prédio era pequena.
____
3. O aluno saiu mais cedo. Os livros do aluno ficaram na classe.
____
4. Esta sala é a melhor do prédio. As janelas da sala são grandes.
____
5. Meu amigo veio de Belo Horizonte. A mãe de meu amigo está doente.
____

Intervalo

A. Observe as duas figuras e crie duas estórias. Conte-as.

B. Conte as estórias sob forma de diálogo.

Texto Narrativo

Pedras preciosas brasileiras (2)

No Brasil há, praticamente, todas as classes de pedras e metais preciosos: ouro, prata, platina, águas-marinhas, ametistas, esmeraldas, topázios, turmalinas.
Às vezes, as pedras são extraídas de profundezas consideráveis, às vezes encontram-se nos leitos dos rios. Só raras vezes aparecem na superfície da terra, como conseqüência da erosão do solo.
Estas riquezas representaram, durante muito tempo, papel importante na história do país. Grupos de homens corajosos — os bandeirantes — formaram expedições famosas, as "bandeiras", que saíam em busca de ouro e de pedras preciosas. Os bandeirantes, com suas expedições, aumentaram o território do Brasil, fundaram cidades e colonizaram o interior do país.
No século XVIII, o ouro fez progredir a região das Minas Gerais e seu esplendor era visível em Vila Rica (hoje Ouro Preto). Em 1720, em outra região de Minas Gerais, foram encontrados diamantes e o povoado que aí surgiu chamou-se Diamantina.
Várias pedras, internacionalmente famosas, são originárias de Diamantina: "Star of the South", "English Dresden", "Star of Minas", "Presidente Vargas".
Pedras preciosas são encontradas em quase todo o território brasileiro, principalmente nos estados de Minas Gerais, Bahia, Ceará, Rio Grande do Sul, Mato Grosso e Goiás.
No Brasil, ninguém possui minas em propriedade. Segundo a lei, a riqueza mineral é propriedade ou patrimônio público e, para a extração das pedras por empresas particulares, o governo outorga licenças.

A. Responda:

1. O que o Brasil tem como metais e pedras preciosas?
2. Qual o papel das pedras preciosas na história do Brasil?
3. O que foram as "bandeiras"?
4. O papel das "bandeiras" limitou-se só à procura das riquezas ou teve outras funções? Explique.

5. O que sabe sobre a história de Ouro Preto?
6. Explique o nome de Diamantina.
7. De quem são as minas brasileiras?
8. O que é preciso para explorar uma mina no Brasil?
9. Seu país possui, também, pedras ou metais preciosos? Quais?
10. Você gosta das pedras brasileiras? Qual delas, em especial?

Faça agora o Teste 6 do Caderno de Testes.

Unidade 13

Um médico ocupadíssimo

– Por que é que você está tão bravo? O que foi que aconteceu desta vez?
– Não consigo falar com o Dr. Medeiros. Faz dias que estou tentando.
– Ele é um médico ocupadíssimo. Para que você consiga falar com ele é necessário que você vá ao consultório dele bem cedo.
– Talvez seja mais fácil marcar hora pelo telefone.
– Não adianta. Ele não atende com hora marcada. Por isso, convém que você esteja lá antes das 8 horas.

Modo Subjuntivo

Presente (2)

Há sete verbos irregulares no presente do subjuntivo.

SER	ESTAR	HAVER	DAR
Que eu seja	Que eu esteja	Que eu haja	Que eu dê
IR	**SABER**	**QUERER**	
Que eu vá	Que eu saiba	Que eu queira	

Emprego (2)

É melhor que ele chegue cedo.

É possível que a reunião seja às 10 horas.

Embora não nos vejamos muito, somos boas amigas.

Vou chegar mais cedo *para que* possamos ir ao cinema.

Vamos embora *antes que* comece a chover.

O subjuntivo é introduzido por *expressões impessoais* e por certas *conjunções*.

a. Expressões impessoais

É possível que
É impossível que
É provável que
É aconselhável que
É importante que
É necessário que
É melhor que
É difícil que
Convém que
Basta que
} ele vá

b. Conjunções

para que
a fim de que
embora
contanto que
a não ser que
mesmo que
até que
antes que

Ex.: Ela fala devagar para que (= a fim de que) a entendamos.

Embora seja rico, ele trabalha muito.
Francisco, vou ajudá-lo *contanto que* você trabalhe mais.
Vamos à praia, a *não ser que* você prefira ficar em casa.
Mesmo que esteja cansada, ela nos ajudará.
Vou esperar *até que* ele telefone.
Vou sair da sala *antes que* ele me veja.

A. Complete as orações:

1. (ter cuidado) É melhor que você *tenha cuidado*.
2. (ouvir) É melhor que eles me ____________________.
3. (gastar menos) É melhor que ela ____________________.
4. (ir embora) É melhor que você ____________________.
5. (saber a lição) É provável que elas ____________________.
6. (estar cansado) É provável que eles ____________________.
7. (ficar cansado) É provável que ele ____________________.
8. (ser paciente) É aconselhável que nós ____________________.
9. (falar baixo) É aconselhável que vocês ____________________.
10. (pagar a vista) É necessário que você ____________________.
11. (comer menos) É necessário que eu ____________________.
12. (saber a verdade) É importante que eles ____________________.
13. (dar uma olhada) É importante que você ____________________.
14. (haver outra chance) É difícil que ____________________.
15. (querer ficar) É difícil que ela ____________________.
16. (dar uma olhada) Basta que vocês ____________________.
17. (dar uma olhada) Convém que eles ____________________.
18. (querer entender) Basta que eles ____________________.
19. (querer viajar) É possível que eu ____________________.
20. (ir de avião) É difícil que elas ____________________.

B. Complete com a conjunção adequada: para que, a fim de que, embora, contanto que, a não ser que, mesmo que, até que, antes que:

1. Depois do trabalho iremos à sua casa, ____________________ fique muito tarde.
2. Ficarei no escritório ____________________ você vá embora.
3. ____________________ esteja chovendo, vamos sair.
4. Vou tomar uma decisão ____________________ seja tarde demais.
5. Vamos comprar esta casa, ____________________ o proprietário peça um absurdo por ela.

6. Vou comprar um belo tecido ______________ você faça um vestido.
7. Posso ajudá-lo, ______________ você me conte a verdade.

C. Complete as orações:

1. (ouvir) Falo alto para que todo mundo me ______________.
2. (compreender) Repito a explicação a fim de que os alunos me ______________.
3. (ver) Faço gestos para que todo mundo me ______________.
4. (ajudar) Vou terminar o trabalho mesmo que ninguém me ______________.
5. (vestir) Mesmo que eu me ______________ depressa, chegaremos tarde.
6. (preferir) Embora eu ______________ a blusa amarela, vou levar a azul.
7. (ficar) Vou abrir o guarda-chuva antes que ______________ todo molhado.
8. (querer) Vou servir-lhes chá, a não ser que vocês ______________ café.
9. (haver) Vamos esperar até que ______________ alguém para nos atender.
10. (dar) Não vou comprar esta máquina, mesmo que a fábrica me ______________ uma garantia de 5 anos.
11. (deixar) Convém que o senhor nos ______________ seu nome e endereço.
12. (dar) Basta que vocês me ______________ seus nomes e endereços.

D. Passe para o plural:

1. É impossível que eu esteja errada. ______________
2. É melhor que ela saiba a verdade. ______________
3. É provável que você não saiba meu nome. ______________
4. É necessário que eu vá agora. ______________
5. Convém que ela esteja aqui às 10. ______________
6. Basta que ela queira trabalhar. ______________
7. É possível que ele esteja com frio. ______________
8. É melhor que você dê uma olhada. ______________
9. Convém que eu lhe dê outra chance. ______________
10. É possível que haja algum engano. ______________

E. Leia o texto com atenção:

No cinema

– Teresa, espero que a gente consiga um bom lugar para ver o filme. Como o cinema é pequeno, convém que cheguemos cedo, bem antes do início da sessão.
– Você tem razão, Vera! Além disso, temos que entrar na fila para comprar os ingressos.
– Não gosto de me sentar nas primeiras fileiras. Prefiro as cadeiras do meio.
– Tomara que achemos bons lugares.

Agora, assinale as orações que não correspondam à idéia do diálogo:

Teresa e sua amiga vão ao cinema. Elas podem chegar bem no início da sessão, pois não há problemas de lugares. O único problema é ter que fazer fila para comprar os ingressos. Uma vez dentro do cinema, qualquer lugar serve. Há sempre bons lugares. Os melhores, porém, são os do meio.

Por que é que = Por que
O que é que = O que

Por que é que você está tão bravo?
Por que você está tão bravo?

O que é que você quer?
O que você quer?

A. Diga de outra forma:

1. O que é que você está vendo? ________________?
2. Do que é que você está falando? ________________?
3. Por que é que você está aqui? ________________?
4. Onde é que você trabalha? ________________?
5. Quem foi que você viu?* ________________?
6. O que foi que você fez? ________________?
7. Quando foi que aconteceu? ________________?

*Com o verbo no *perfeito*, as duas formas são usadas:

Quem *foi* que você viu?
Quem *é* que você viu?

B. Diga de outra forma:

1. Onde você mora? ________________?
2. Quanto você quer ganhar? ________________?
3. Para quem você trabalha? ________________?
4. Por que você está brava? ________________?

5. Quem chegou? ______________________________?
6. Quem disse isso? ______________________________?
7. O que você disse? ______________________________?
8. Quando ele vai começar? ______________________________?
9. Até quando vou esperar? ______________________________?
10. Quando você vem? ______________________________?
11. Quanto você deu? ______________________________?
12. Quando ela nasceu? ______________________________?
13. Onde você vai? ______________________________?
14. Onde você foi? ______________________________?
15. O que você pediu? ______________________________?

Contexto

A outra noite

Outro dia fui a São Paulo e resolvi voltar à noite, uma noite de vento sul e chuva, tanto lá como aqui. Quando vinha para casa de táxi, encontrei um amigo e o trouxe até Copacabana, e contei a ele que lá em cima, além das nuvens, estava um luar lindo, de Lua cheia; e que as nuvens feias que cobriam a cidade eram vistas de cima, enluaradas, colchões de sonho, alvas, uma paisagem irreal. Depois que o meu amigo desceu do carro, o chofer aproveitou um sinal fechado para voltar-se para mim:

– O senhor vai desculpar, eu estava aqui a ouvir sua conversa. Mas, tem mesmo luar lá em cima?

Confirmei:

– Sim, acima da nossa noite preta, enlamaçada e torpe havia uma outra – pura, perfeita e linda.

– Mas que coisa . . .

Ele chegou a pôr a cabeça fora do carro para olhar o céu fechado de chuva. Depois continuou guiando mais lentamente. Não sei se sonhava em ser aviador ou pensava em outra coisa.

– Ora, sim senhor . . .

E, quando saltei e paguei a corrida, ele me disse um boa noite e um "muito obrigado ao senhor", tão sinceros, tão veementes, como se eu lhe tivesse feito um presente de rei.

Rubem Braga

A. Certo ou errado?

1. Estava chovendo no Rio de Janeiro.
2. Estava chovendo em São Paulo.
3. Não estava chovendo em São Paulo.
4. Apesar da chuva havia luar em Copacabana.
5. Havia três pessoas no táxi, quando o chofer começou a falar.
6. Meu amigo desceu no sinal fechado.
7. O chofer começou a conversar quando parou no sinal fechado.
8. O chofer queria ser aviador.

Certo	Errado

B. Explique:

1. noite preta ________________
2. noite enlamaçada ________________
3. luar ________________
4. nuvens enluaradas ________________
5. paisagem irreal ________________
6. sinal fechado ________________
7. céu fechado ________________
8. a corrida de táxi ________________

C. Dê sinônimos para:

1. nuvens alvas ________________
2. O chofer aproveitou um sinal fechado para *voltar-se* para mim.
____
3. Mas, tem *mesmo* luar lá em cima? ________________
4. Continuou *guiando lentamente*. ________________
5. *Saltei* do carro. ________________

Advérbios

I — Advérbios em -mente:

adj. masc. → *adj. fem.* +mente → = advérbio

lento → lenta → lentamente
longo → longa → longamente
silencioso → silenciosa → silenciosamente
feliz → feliz → felizmente

A. Aqui estão alguns adjetivos. Dê os advérbios em -mente:

1. largo — ________________
2. curto — ________________
3. lindo — ________________

4. simples – ______________________
5. fácil – ______________________
6. breve – ______________________
7. difícil – ______________________
8. duro – ______________________
9. suave – ______________________
10. comum – ______________________

B. Substitua as expressões por um advérbio em -mente:

1. com paciência – pacientemente
2. com facilidade – ______________________
3. com delicadeza – ______________________
4. com bondade – ______________________
5. com inteligência – ______________________
6. com cuidado – ______________________
7. com pressa – ______________________
8. com calor – ______________________
9. com violência – ______________________
10. por acaso ______________________
11. de propósito – ______________________
12. de leve – ______________________
13. por obrigação – ______________________
14. às claras – ______________________
15. às cegas – ______________________
16. em breve – ______________________
17. de imediato – ______________________
18. com brutalidade – ______________________
19. com economia – ______________________
20. com malícia – ______________________
21. por dia – ______________________
22. por semana – ______________________
23. por quinzena – ______________________
24. por mês – ______________________
25. por semestre – ______________________
26. por ano – ______________________
27. em parte – ______________________
28. com amizade – ______________________

C. Substitua os advérbios em -mente por expressões equivalentes:

1. repentinamente – ______________________
2. propositadamente – ______________________

3. casualmente – ______
4. atentamente – ______
5. manualmente – ______
6. sabiamente – ______
7. preocupadamente – ______
8. honestamente – ______
9. calmamente – ______
10. preguiçosamente – ______
11. naturalmente – ______
12. delicadamente – ______
13. diariamente – ______
14. anualmente – ______

II – Outros advérbios

Ele trabalha *bem*.
Ela fala francês muito *mal*.
Não podemos falar *alto*.
Precisamos falar *baixo*.
Ele anda *muito*.
Ela comeu *pouco*.
Ele descansou *bastante*.

D. Complete com os advérbios: bem, mal, alto, baixo, muito, pouco, bastante:

1. Fique quieto! Você fala ______ .
2. Ele está magro. Ele come muito ______ .
3. Ele não entende o que a gente diz. Ele ouve muito ______ .
4. Agora chega! Você já trabalhou ______ .
5. Estamos preocupados. Ela está no hospital e está muito ______ ______ .
6. Não consigo ouvi-lo. Fale um pouco mais ______ .
7. Não precisa gritar. Eu ouço muito ______ .
8. Fale mais ______ , por favor. Você está gritando ______ ______ .
9. Coitada! Ela ganha muito ______ , embora trabalhe ______ .
10. Que sorte! Ela ganha ______ , embora trabalhe ______ ______ .

E. Faça sentenças com:

1. bem ______
2. de propósito ______

3. em breve ________________________________

4. felizmente ________________________________

5. por acaso ________________________________

6. cuidadosamente ________________________________

7. pouco ________________________________

8. a mão ________________________________

9. apressadamente ________________________________

10. de leve ________________________________

Um rapaz, diante de uma estação de metrô, anda de um lado para outro e olha seu relógio. Empregue: pacientemente, às vezes, muito, de repente, bastante, felizmente.

____

____

____

____

____

Intervalo

Expressões

morrer de

- fome — O jantar está pronto? Estou *morrendo de fome*.
- sede — Vamos tomar um refrigerante? Estou *morrendo de sede*.
- frio — Feche a janela. Estou *morrendo de frio*.
- calor — Abra a janela. Estou *morrendo de calor*.
- raiva — Quando vi Paulo com Maria *morri de raiva*.
- medo — Estou *morrendo de medo* do exame.
- vontade — Que calor! Estou *morrendo de vontade* de tomar um sorvete.
- inveja — *Morri de inveja* quando vi o brilhante que ela comprou.
- dor de cabeça, de dente, etc. — Não posso sair hoje. Estou *morrendo de dor* de cabeça.
- rir — Ele *morreu de rir* quando lhe contei a piada.

fazer

- uma viagem — Dentro de dois meses, ele *fará uma longa viagem*.
- as malas — Ela não gosta de *fazer as malas*. (= arrumar)
- um discurso — Ele é especialista em *fazer discursos*.
- diferença — Não *faz diferença* se você gosta ou não de mim.
- pouco de — Ele *faz pouco* de nós porque não somos ricos.
- aniversário, anos — Quantos *anos você fez* ontem?
- seguro — Ele não *fez seguro* de carro este ano. Está muito caro.

fazer

- compras — Não tenho tempo para *fazer compras* hoje.
- feio, bonito — Marcos *fez feio*, não comparecendo à festa do seu melhor amigo.
  Marcos *fez bonito*, ajudando os filhos do seu melhor amigo.
- erros — Ela *faz muitos erros* nos ditados.
- questão de — Nós *fazemos questão de* que venham à nossa festa.
- um bom negócio — Acho que *fizemos um bom negócio* comprando esta casa.
- de conta — Não custa sonhar! *Faz de conta* que estamos viajando num navio de luxo.
- não faz mal — Você não trouxe o dinheiro? *Não faz mal,* você paga amanhã.
- tanto faz — Você pode vir de manhã ou de tarde. *Tanto faz.*

Texto Narrativo
Belém do Pará

Manuel Bandeira

1 Bembelelém!
Viva Belém!

Belém do Pará porto moderno integrado na equatorial
Beleza eterna da paisagem

5 Bembelelém
Viva Belém!
Cidade pomar
(Obrigou a polícia a classificar um tipo novo de delinqüente :
O apedrejador de mangueiras)

10 Bembelelém
Viva Belém!

Belém do Pará onde as avenidas se chamam Estradas:
Estrada de São Jerônimo
Estrada de Nazaré

15 Onde a *banal* Avenida Marechal Deodoro da Fonseca de todas as
[cidades do Brasil

Se chama liricamente
Brasileiramente
Estrada do Generalíssimo Deodoro

Bembelelém
20 Viva Belém!
Nortista gostosa
Eu te quero bem.
Terra da castanha
Terra da borracha

25 Terra de biribá bacuri sapoti
Terra de fala cheia de nome indígena
Que a gente não sabe se é de fruta pé de pau ou ave de plumagem bonita.

Nortista gostosa
30 Eu te quero bem.

Me obrigarás a novas saudades
Nunca mais me esquecerei do teu Largo da Sé
Com a fé maciça das duas maravilhosas igrejas barrocas
E o renque ajoelhado de sobradinhos coloniais tão bonitinhos
Nunca mais me esquecerei
Das velas encarnadas
Verdes
Azuis
Da doca de Ver-o-Peso
Nunca mais

E foi para me consolar mais tarde
Que inventei esta cantiga

Bembelelém
Viva Belém
Nortista gostosa
Eu te quero bem

(Estrela da Vida Inteira)

A. Compreensão:

1. integrado na equatorial (3) – o porto de Belém foi construído de acordo com as necessidades da região equatorial.
2. pomar (7) – plantação de árvores frutíferas. As ruas de Belém são arborizadas com mangueiras.
3. beleza eterna da paisagem (4) – a paisagem de Belém tem beleza eterna.
4. Marechal Deodoro da Fonseca (15) – proclamou a República do Brasil em 15 de novembro de 1889.
5. banal Avenida Marechal Deodoro da Fonseca (15) – a avenida Marechal Deodoro da Fonseca é muito comum – em todas as cidades do Brasil há uma avenida Marechal Deodoro da Fonseca.
6. biribá (25)
7. bacuri (25)
8. sapoti (25)

(6–8) frutas tropicais do norte do Brasil

9. terra de fala cheia de nome indígena (26) – terra cuja linguagem conserva ainda muitas palavras de origem indígena.
10. me obrigarás a novas saudades (31) – tu me obrigarás a sentir saudades de ti. (O poeta trata a cidade de Belém por tu e todos os verbos e pronomes estão nessa pessoa).
11. renque (34) – fileira, fila.
12. doca (39) – cais
13. "Ver-o-Peso" – nome do mercado de Belém, às margens do rio Guajará.

B. Explique oralmente:

1. cidade pomar
2. o apedrejador de mangueiras
3. velas encarnadas

C. Responda:

1. O que lhe faz lembrar o som do verso: "Bembelém!"?

____

2. Por que o poeta considera Belém um porto moderno?

____

____

3. Explique os versos 23 e 24:
   "Terra da castanha
   Terra da borracha"

____

____

4. Quem é nortista gostosa? Por quê?

____

____

5. Você sabe o nome da árvore que dá o látex?

____

6. De que século é o estilo barroco? Você o conhece? Em seu país há monumentos em estilo barroco?

____

____

7. Seu país produz borracha natural?

____

Ditado: Veja observação da pág. 9.

Unidade 14

Agência de viagens

Ele: — Desisti de viajar para a Europa.

Ela: — Nossa! Por quê? Você sempre quis fazer esta viagem!

Ele: — Pois é! Hoje de manhã estive na agência de viagens e nada deu certo lá.

Ela: — Como assim?

Ele: — Para começar, eles queriam que eu pagasse tudo adiantado. Quando eu lhes disse que não tinha condições para pagar a viagem à vista, torceram o nariz e exigiram que eu arranjasse dois avalistas. Depois, embora avalista não fosse problema, não gostei nem do plano de pagamento nem da organização da firma. Assim não dá!

Ela: — Você tem razão. Quando a gente não está contente, não deve mesmo insistir. Por que você não vai ao meu agente de viagens?

Modo Subjuntivo

Imperfeito

MORAR

Se eu mora*sse*
Se ele / Se ela / Se você → mora*sse*
Se nós mor*ássemos*
Se eles / Se elas / Se vocês → mora*ssem*

VENDER

Se eu vende*sse*
Se ele / Se ela / Se você → vende*sse*
Se nós vend*êssemos*
Se eles / Se elas / Se vocês → vende*ssem*

ABRIR

Se eu abri*sse*
Se ele / Se ela / Se você → abri*sse*
Se nós abr*íssemos*
Se eles / Se elas / Se vocês → abri*ssem*

Formação:

O imperfeito do subjuntivo forma-se a partir da 3ª pessoa do plural do perfeito do indicativo.

DIZER
(eles disseram)
disse + sse

Se eu dissesse
Se ele / Se ela / Se você → dissesse
Se nós disséssemos
Se eles / Se elas / Se vocês → dissessem

PODER
(eles puderam)
pude + sse

Se eu pudesse
Se ele / Se ela / Se você → pudesse
Se nós pudéssemos
Se eles / Se elas / Se vocês → pudessem

PEDIR
(eles pediram)
pedi + sse

Se eu pedisse
Se ele / Se ela / Se você → pedisse
Se nós pedíssemos
Se eles / Se elas / Se vocês → pedissem

A. Dê o Perfeito do Indicativo e o Imperfeito do Subjuntivo nas pessoas indicadas:

Perfeito do Indicativo	**Imperfeito do Subjuntivo**
1. gostar – Eles ____________	Se eu ____________
2. andar – Eles ____________	Se eu ____________

3. trabalhar – Eles ______________ Se eu ______________
4. comer – Eles ______________ Se ele ______________
5. beber – Eles ______________ Se ele ______________
6. atender – Eles ______________ Se ela ______________
7. partir – Eles ______________ Se você ______________
8. permitir – Eles ______________ Se você ______________
9. dormir – Eles ______________ Se a gente ______________
10. fazer – Eles ______________ Se nós ______________
11. pôr – Eles ______________ Se nós ______________
12. ter – Eles ______________ Se nós ______________
13. ser – Eles ______________ Se eles ______________
14. pedir – Eles ______________ Se eles ______________
15. dizer – Eles ______________ Se eles ______________
16. ir – Eles ______________ Se eu ______________
17. trazer – Eles ______________ Se nós ______________
18. ver – Eles ______________ Se nós ______________
19. vir – Eles ______________ Se ela ______________
20. saber – Eles ______________ Se eles ______________
21. querer – Eles ______________ Se nós ______________

Emprego

Ele queria que eu o ajudasse.

Duvidei que você fizesse o trabalho.

Esperávamos que vocês viessem à festa.

Senti que eles fossem embora tão cedo.

Foi melhor que ele desistisse.

Ele trabalhou para que pudessem comprar uma casa.

Emprega-se o *imperfeito do subjuntivo* nos mesmos casos do presente do subjuntivo (com verbos de ordem, desejo, dúvida, sentimento, expressões impessoais e certas conjunções). Estando o verbo da oração principal no *pretérito* (imperfeito, perfeito, mais-que-perfeito e futuro do pretérito *), o verbo da oração dependente estará no *imperfeito do subjuntivo.*

* O futuro do pretérito será abordado na pág. 179.

B. Complete com o Imperfeito do Subjuntivo:

1. (fumar) Ele nos pediu que não ______________________.
2. (andar) Ela mandou que eu ______________________ mais depressa.
3. (sair) Ela não deixou que eles ______________________.
4. (estudar) Eu proibi que as crianças ______________________ na sala.
5. (voltar) Tive medo que você não ______________________.
6. (abrir) Duvidei que você ______________________ o cofre.
7. (dar) Eu queria que você ______________________ uma olhada.
8. (chegar) Nós fizemos questão que eles ______________________ na hora.
9. (ficar) Ela preferia que todos ______________________ quietos.
10. (pôr) Ela não quis que nós ______________________ a mesa.

C. Passe o verbo principal para o Perfeito do Indicativo. Depois faça as modificações necessárias.

1. Ela quer que eu fique. Ela quis que eu ficasse.
2. Duvido que você venha. ______________________
3. Faço questão que vocês me escutem. ______________________
4. Não quero que você vá. ______________________
5. Exigimos que ela nos ouça. ______________________
6. Peço-lhes que paguem a conta. ______________________
7. Ele deseja que ela seja feliz. ______________________
8. Sinto que ele não seja feliz. ______________________
9. É melhor que você venha. ______________________
10. Espero que você me compreenda. ______________________
11. Temos medo que ele não compreenda. ______________________
12. Ele lamenta que estejamos com pressa. ______________________
13. Duvidamos que você saiba fazê-lo. ______________________
14. Quero que você faça as malas. ______________________
15. Peço-lhe que não faça essa viagem. ______________________

D. Passe o verbo principal para o Imperfeito do Indicativo. Faça, depois, as modificações necessárias.

1. É provável que ele fique. ______________________
2. É melhor que você espere. ______________________
3. É possível que vocês paguem mais. ______________________
4. É possível que cheguemos atrasados. ______________________
5. É necessário que você leia isso. ______________________
6. É conveniente que estudemos. ______________________
7. Gosto de você, embora você não goste de mim. ______________________

____

8. Ele leva vida de rei, embora ganhe pouco. ______________________________
____

9. Eu explico devagar para que você entenda. ______________________________
____

10. Não vou mesmo que vocês me peçam. ______________________________
____

11. Eu sempre vou embora antes que eles cheguem. ______________________________
____

12. A mãe canta para que a criança durma. ______________________________
____

13. Eu chamo Maria a fim de que ela me ajude. ______________________________
____

14. Ela sairá de casa contanto que não chova. ______________________________
____

15. A aeromoça espera até que o último passageiro suba. ______________________________
____

16. Sempre aceitarei trabalho contanto que possa fazê-lo. ______________________________
____

17. Basta que ele diga uma palavra. ______________________________

18. Basta que telefonemos. ______________________________

19. Convém que você pense melhor. ______________________________

20. Convém que ele nos ouça. ______________________________

E. Passe o verbo para o Imperfeito do Subjuntivo:

1. Talvez ela queira descansar. ______________________________
2. Talvez ele já saiba de tudo. ______________________________
3. Talvez eles sejam felizes. ______________________________
4. Talvez eles venham mais cedo. ______________________________
5. Talvez elas possam ajudar-nos. ______________________________
6. Talvez você saiba a resposta. ______________________________
7. Talvez possamos sair. ______________________________
8. Talvez seja tarde demais. ______________________________
9. Talvez ela esteja doente. ______________________________
10. Talvez eles achem o caminho. ______________________________

F. Use o Presente do Subjuntivo ou o Imperfeito do Subjuntivo:

1. (esperar) Não quero que você me ______________________________.
2. (falar) Ela não deixou que ele ______________________________.
3. (permitir) Duvido que ele ______________________________.
4. (dizer) Ela fechou a porta antes que nós ______________________________ "até-logo".

5. (dizer) Duvidei que ele ______________________ sim .
6. (amar) Sinto que ela não me ________________.
7. (poder) Esperava que eles ______________________ vir.
8. (poder) Espero que eles ________________________ vir.
9. (ter) É melhor que vocês ______________________ paciência.
10. (esquecer) Tenho medo que você me ____________________.
11. (esquecer) Tive medo que ele ______________________ meu nome.
12. (querer) Você precisa ajudar mesmo que não ________________.

G. Complete as sentenças:

1. Não quero que ______________________________.
2. Eles duvidaram que ______________________________.
3. Eles disseram que talvez ______________________________.
4. Ela diz que talvez ______________________________.
5. Eles vieram para que nós ______________________________.
6. Faço questão que ______________________________.
7. Receio que ______________________________.
8. Esperávamos que ______________________________.
9. Era provável que ______________________________.
10. Convém que ______________________________.
11. Fique conosco mesmo que ______________________________.
12. É pena que ______________________________.
13. Fico aqui contanto que ______________________________.
14. Prefiro que ______________________________.
15. O que vocês querem que ______________________________?
16. Tomara que ______________________________.
17. Foi pena que ______________________________.
18. Não acho que ______________________________.
19. Não pensávamos que ______________________________.
20. Não penso que ______________________________.

Contexto

Minha insegurança bancária

Existe uma coisa que me irrita muito quando vou ao banco. É ter uma pessoa colada a mim quando estou no guichê. Este é um hábito que vem tomando conta das pessoas. Não se conservam em fila, parecem impacientes. Não sei se foi a modernização das agências que favoreceu isto ou se é sinal dos tempos. Os guichês abertos, sem vidros, facilitaram a comunicação entre você e o bancário, mas a eliminação das divisões deve ter dado uma idéia errada de democratização.
Estamos todos aí, tudo bem, numa boa [(1)]. E o "cara" [(2)], em vez de atrás, fica do seu lado, te [(3)] olhando preencher o cheque, consultando o

teu[3] saldo, vendo quanto você gastou de luz, gás, quanto é o teu[3] imposto territorial.
Pois não é que outro dia um senhor comentou comigo:
— Não acha um absurdo pagar este imposto aí?
Não era um office-boy, nem nada. Um senhor respeitável, com cara boa.
Só deu para responder:
— O que eu acho um absurdo é o senhor se intrometer na minha vida privada.
Outro dia, no Banespa, dei uma sugestão para o gerente, meu amigo. A idéia, aliás, não é minha. Tirei-a dos países por onde andei. Trata-se de um serviço mais racional, com o qual não existiria nenhum atropelo. Só ficaria diante do guichê o cliente e mais ninguém. Facilitaria, inclusive, o próprio trabalho do funcionário do banco. O processo é o seguinte: a uns dois metros do guichê haveria um corredor, isolado por cordas. Corredor simbólico, é claro. Dentro deste corredor, forma-se a fila. O primeiro desta fila dirige-se ao guichê cada vez que um cliente se retira. Assim as operações se desenrolariam com calma, ninguém se atropelaria, ninguém ficaria procurando fila menor.
Deste modo, você não teria ninguém do teu[3] lado, te[3] fiscalizando, te[3] observando. Porque, quem garante que "o cara" do lado não é um malandro, observando de quanto é a sua conta? Vê que você tem dinheiro, sai atrás, te[3] assalta, falsifica teu[3] cheque e saca tudo.

(Adaptado de Ignácio de Loyola Brandão — São Paulo — S.A. — City News 24-08-80)

(1) numa boa (linguagem popular) — despreocupadamente, sem problemas, felizes.
(2) o cara (linguagem popular) — a pessoa, o indivíduo.
(3) te olhando — emprego popular do pronome de tratamento. No Brasil, muitas vezes empregam-se as formas dos pronomes de tratamento e dos adjetivos possessivos da 2ª pessoa do singular — Tu (te, ti, contigo, teu, tua, teus, tuas) em lugar das formas da 3ª pessoa do singular (se, com você, o, a, os, as, seu, sua, seus, suas). As formas corretas do texto seriam:
— olhando-o
— seu saldo
— seu imposto
— seu lado
— fiscalizando-o
— observando-o
— assalta-o
— seu cheque

A. Assinale a opção de acordo com o texto:

1. O que irrita o autor é:
   a) ter uma pessoa atrás dele na fila
   b) o fato de as pessoas não permanecerem em fila organizada
   c) ter uma pessoa junto dele, frente ao guichê
   d) o mau hábito de as pessoas se impacientarem na filas.

2. Os guichês abertos, sem vidros
   a) são um sinal de democratização
   b) facilitam o trabalho do bancário
   c) dão maior comodidade ao cliente
   d) facilitam a compreensão entre cliente e bancário.

3. O fato de isolar-se a fila de espera em um corredor simbólico
   a) daria mais segurança ao cliente
   b) isolaria o funcionário do cliente
   c) diminuiria o trabalho do bancário
   d) eliminaria os ladrões de banco.

4. Absurdo é:
   a) ter que pagar impostos altíssimos
   b) os ladrões terem cara respeitável
   c) todo mundo poder ver sua conta
   d) você dar satisfação para os outros clientes.

B. Responda:

1. Por que as pessoas se acotovelam nos guichês dos bancos?

____

2. O autor dá uma sugestão para evitar este acotovelamento. Qual é?

____

3. A idéia do autor é nova?

____

4. Quais as vantagens da idéia? Ela teria alguma desvantagem?

____

5. O que pensa o autor do "cara" que fica colado a ele, no guichê?

____

6. O "cara" ao seu lado é realmente um ladrão. Segundo o texto quais as etapas que ele seguiria para roubá-lo?

____

7. Você acha o método do ladrão eficiente? Por quê?

____

8. Você conhece outros métodos? Explique.

____

C. Explique:

1. Estamos todos aí, tudo bem, numa boa.

____

2. Um senhor com cara boa.

____

3. "O cara" do lado.

____

4. As operações se desenrolariam com calma.

____

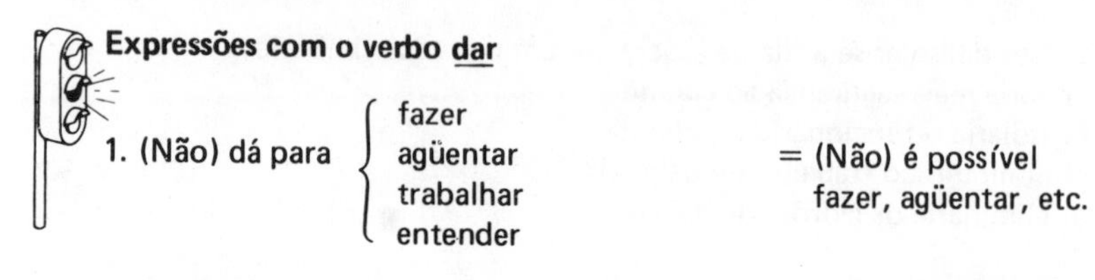

Expressões com o verbo <u>dar</u>

1. (Não) dá para { fazer / agüentar / trabalhar / entender } = (Não) é possível fazer, agüentar, etc.

Ex.: Todos os clientes querem ser atendidos ao mesmo tempo. Assim não dá para trabalhar.

As lojas já estão fechadas. Agora só dá para olhar as vitrinas.

2. dar certo, errado = O resultado (não) foi o desejado.

Ex.: A viagem deu certo.
O plano deu errado.

3. só dá { criança / velho / malandro, etc. } = Há só crianças, velhos, malandros, etc.

Ex.: É perigoso entrar neste parque à noite. Só dá vagabundo.

4. não dá (deu) outra = aconteceu o que se esperava.

Ex.: Apostamos muito dinheiro naquele cavalo e não deu outra. Ganhamos uma "bolada".

5. dar uma colher de chá = ajudar, dar mais uma oportunidade.

Ex.: Como a questão era muito difícil, o professor nos deu uma colher de chá para achar a resposta.

Não entreguei o trabalho na data marcada, mas meu chefe me deu uma colher de chá. Posso entregá-lo na semana que vem.

D. Modifique as sentenças usando expressões com <u>dar</u>:

1. Eles voltaram desanimados porque o projeto *foi um fracasso*.

____

2. Não gosto destes bailes porque neles só *há* crianças.

____

3. Os artigos desta loja são tão caros que *não é possível* comprá-los.

____

4. Ele é tão engraçado que *não é possível* ficar triste ao seu lado.

____

5. Com o dinheiro que tenho *só é possível* comprar um apartamento pequeno.

____

6. Estamos todos contentes porque nossa idéia *teve bom resultado*.

____

7. Eu o avisei mas ele não me quis ouvir. *Aconteceu o que eu esperava:* ele perdeu tudo.

____

8. Por favor, professor, *dê-me uma chance*!

____

9. Você nunca trabalhou direito. *Não lhe darei outra chance*. Está despedido.

____

10. O ladrão estava de máscara, por isso *não foi possível* ver seu rosto.

____

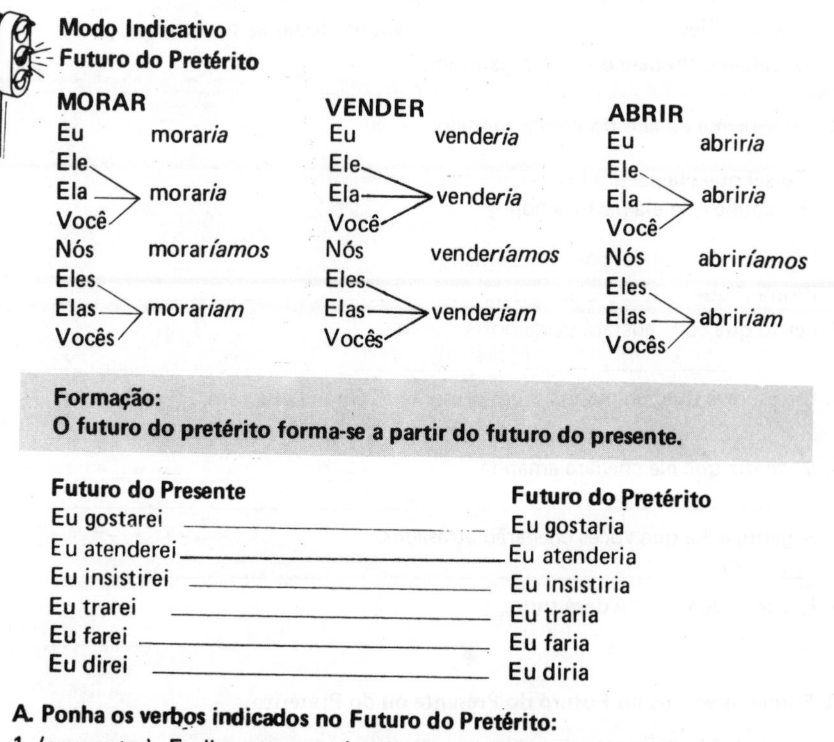

Modo Indicativo
Futuro do Pretérito

MORAR		**VENDER**		**ABRIR**	
Eu	morar*ia*	Eu	vender*ia*	Eu	abrir*ia*
Ele / Ela / Você	morar*ia*	Ele / Ela / Você	vender*ia*	Ele / Ela / Você	abrir*ia*
Nós	morar*íamos*	Nós	vender*íamos*	Nós	abrir*íamos*
Eles / Elas / Vocês	morar*iam*	Eles / Elas / Vocês	vender*iam*	Eles / Elas / Vocês	abrir*iam*

Formação:
O futuro do pretérito forma-se a partir do futuro do presente.

Futuro do Presente	**Futuro do Pretérito**
Eu gostarei	Eu gostaria
Eu atenderei	Eu atenderia
Eu insistirei	Eu insistiria
Eu trarei	Eu traria
Eu farei	Eu faria
Eu direi	Eu diria

A. Ponha os verbos indicados no Futuro do Pretérito:

1. (emprestar) Eu lhe *emprestaria* mil cruzeiros, mas não os tenho.
2. (dar) Ele lhe ____________ estas informações, mas hoje não veio trabalhar.

3. (fechar) Nós ______________ esta loja hoje mesmo, mas não podemos.
4. (entender) Ele ______________ a situação mas não presta atenção.
5. (parecer) Eu ______________ melhor com roupas novas, mas não tenho dinheiro para comprá-las.
6. (escrever) Você ______________ mais cartas, mas não tem tempo.
7. (abrir) A secretária ______________ o cofre, mas não tem a chave.
8. (permitir) O guarda ______________ a entrada das crianças no parque, mas já é tarde.
9. (unir) Este candidato ______________ os partidos, mas não tem chance.
10. (poder) Ele nunca ______________ fazer isto.
11. (poder) Os senhores ______________ chegar às 8?
12. (vir) As encomendas ______________ por avião?
13. (permitir) Não adianta insistir. Eles jamais ______________ a entrada de estranhos no laboratório.
14. (facilitar) Isolar todos os clientes num "corredor simbólico" ______________ o trabalho dos bancos.
15. (pagar) Eles ______________ em dia todas as suas contas, mas o trabalho do banco não é organizado.

B. Transforme de acordo com o modelo:

Eu sei que ela partirá hoje.
Eu soube que ela partiria hoje.

1. Prometo que falarei com você amanhã.
   Prometi que ______________
2. Penso que você gostará deste hotel.
   ____
3. Ele escreve que me mandará um presente a semana que vem.
   ____
4. Você diz que ele chegará amanhã.
   ____
5. A gente acha que vocês chegarão atrasados.
   ____
6. Ela acha que ele lhe dará tudo.
   ____

C. Ponha os verbos no Futuro do Presente ou do Pretérito:

1. (ajudar) Ele prometeu que me ______________.
2. (gostar) Ele ______________ de vir, mas não pode.

3. (vir) Todos sabem que você ______________________ à festa amanhã.
4. (dizer) Pensei que eles ____________________________ a verdade.
5. (trazer) Você prometeu que ___________________________ seus amigos.

Ordens e pedidos

Ajude-me.
Você poderia ajudar-me (por favor)?
Será que você poderia ajudar-me (por favor)?

D. Transforme as ordens em pedidos. Siga o exemplo:

1. Acabe logo este trabalho.
   Você poderia acabar logo este trabalho?
   Será que você poderia acabar logo este trabalho?

2. Empreste-me mil cruzeiros.

   ____

   ____

3. Esperem-me lá fora.

   ____

   ____

4. Por favor, passe-me o açúcar.

   ____

   ____

5. Traga-me o café e a conta, por favor.

   ____

   ____

6. Não faça barulho.

   ____

   ____

7. Diga-me que horas são.

   ____

   ____

8. O chefe não está. Passe mais tarde.

   ____

   ____

9. Estou com calor. Abra a janela.

   ____

   ____

10. Estamos atrasados. Ande mais depressa.

   ____

   ____

E. Complete o quadro:

VERBO	SUBSTANTIVO	ADJETIVO
1. rir	a risada	risonho
2. mentir		
3.		difícil
4. enriquecer		
5.	a pobreza	
6.		triste
7.	a correção	
8.	a ignorância	
9.		obrigatório
10.	o conselho	
11. interessar		
12.		alegre
13. cansar		
14. ausentar-se		
15. morrer		
16.		vivo
17.	o hábito	
18.	a fraqueza	
19. esquecer		
20.		sensível

Intervalo

Expressões idiomáticas

– estar, ficar de cara amarrada
  Ele ficou de cara amarrada porque
  cheguei tarde.

— estar, ficar de pernas para o ar
A casa ficou de pernas para o ar depois da festa.

— pisar em ovos
Ele é tão complicado que a gente pisa em ovos quando fala com ele.

— pôr os pingos nos ii
Esta estória está muito mal contada.
Vamos pôr os pingos nos ii.

— (um) "abacaxi"
Que "abacaxi"! Como vamos resolver isso?

— bater papo
Ela adora bater papo com os amigos no telefone.

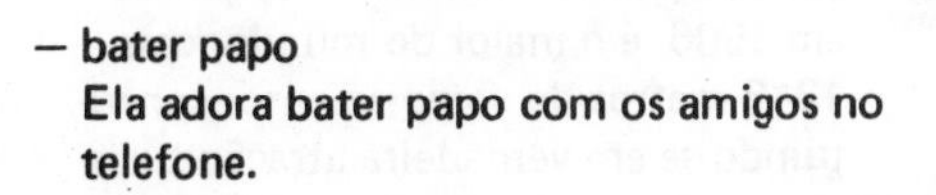

— estar, ficar de orelha em pé
Ele anda desconfiado e por isso está sempre de orelha em pé.

— estar, ficar, viver com a cabeça no ar
Depois que começou a sair com ele, ela não presta atenção em mais nada. Vive com a cabeça no ar.

— ir por água abaixo
Nossos planos falharam. Foi tudo por água abaixo.

Texto Narrativo

Manaus

A cidade de Manaus, capital do estado do Amazonas, está em plena zona equatorial, entre rio e selva. Manaus, como Belém, é cidade fluvial. Sua temperatura é sempre elevada e o clima muito úmido.

O porto de Manaus está situado às margens do rio Negro, afluente do Amazonas. Este porto flutuante foi construído durante o apogeu da extração da borracha natural. Inaugurado em 1906, é o maior do mundo, com 1313 metros de comprimento, constituindo-se em verdadeira atração turística, pois sua plataforma oscila com a variação do nível das águas. Aí atracam desde barcaças até navios internacionais luxuosos.

Hoje Manaus é uma cidade bastante desenvolvida, mas ela conheceu seu apogeu no período áureo do ciclo da borracha (de 1870 a 1910). São deste período as grandes obras públicas: aterros, canalizações, pontes e belos edifícios. Entre estes os mais famosos são: o edifício da Alfândega, construído na Inglaterra e transportado pedra por pedra para o Brasil e o Teatro de Manaus, em estilo "art nouveau", cujas estátuas e colunas foram esculpidas por artistas europeus. Este teatro, durante o ponto alto do ciclo da borracha, foi cenário de inesquecíveis noites de gala, nas temporadas líricas.
Manaus possui atualmente vários institutos culturais. Um deles, o Museu do Índio, guarda objetos utilitários e decorativos do artesanato indígena, inclusive vestimentas, utensílios e armas para rituais guerreiros e fúnebres das mais importantes tribos.
Hoje, o progresso da região deve-se, em boa parte, à livre entrada de mercadorias estrangeiras na Zona Franca de Manaus.
O turismo, a indústria e o comércio locais foram grandemente beneficiados por este fato.
A beleza natural da Amazônia, no entanto, não sofreu nenhum dano. Uma excursão por Manaus propicia ao visitante aventuras incomparáveis. Todos os dias, barcos de passeio levam centenas de turistas para apreciar o encontro das águas claras do rio Solimões com as águas escuras do rio Negro, que correm, lado a lado, por quilômetros, sem misturar-se. Mais adiante, surgem as vitórias-régias, os igarapés (pequenos cursos d'água, geralmente escondidos na floresta), os seringais e os castanhais.
A 80 quilômetros de Manaus começa a selva virgem e o turista corajoso, ainda de canoa, poderá conhecer melhor a grandiosidade e os segredos que o verde esconde.

A. Responda:

1. Onde fica Manaus?
2. O que há de interessante no encontro dos rios Negro e Solimões?
3. Por que o porto de Manaus é importante? Por que é interessante?
4. Quais as conseqüências do ciclo da borracha para Manaus?
5. Cite um edifício importante da cidade e diga alguma coisa sobre ele.
6. O que contém o Museu do Índio?
7. O que garante, hoje, o desenvolvimento de Manaus?
8. Como se pode conhecer a floresta amazônica?
9. Muito se fala sobre a Amazônia. O que você poderia dizer a respeito?

Faça agora o Teste 7 do Caderno de Testes.

Unidade 15

De papo pro ar!

Seu Miguel: — Se eu fosse você, eu não ficaria aí na beira do rio pescando o dia inteiro.

Toninho: — Por que não?

Seu Miguel: — Porque está errado. O homem precisa ter ambições.

Toninho: — Se o senhor estivesse no meu lugar, o que o senhor faria?

Seu Miguel: — Eu aprenderia um ofício e iria trabalhar na cidade.

Toninho: — E depois?

Seu Miguel: — Depois eu não perderia tempo. Trabalharia dia e noite, juntaria dinheiro, faria meu pé de meia, construiria uma casa, teria alguns filhos, um belo automóvel, empregados . . .

Toninho: — E depois?
Seu Miguel: — Depois de alguns anos, quando eu já estivesse rico, eu tiraria umas férias e iria passear num lugarzinho bem sossegado, sem barulho, sem correria.
Toninho: — E o que o senhor faria aí?
Seu Miguel: — Ora, eu ficaria o dia todo na beira do rio, de papo pro ar, pescando, pescando . . .

Orações condicionais

Eu não *faria* isto *se fosse* você.
Se eles *pudessem*, *viriam* aqui.

A. Complete com os verbos nos tempos adequados (Imperfeito do Subjuntivo ou Futuro do Pretérito):

1. (receber/ficar) Se eu ____________ uma carta hoje, ____________ muito contente.
2. (parar/estudar) Se eles ____________ mais em casa, ____________ mais para as provas.
3. (dormir/acordar) Se estas crianças ____________ mais cedo, ____________ mais dispostas.
4. (viajar/permitir) Eu ____________ para a Europa este ano se meus negócios o ____________.
5. (gostar/aceitar) Ele ____________ de dançar com ela se ela ____________.
6. (ficar/receber) Nós ____________ mais tranqüilos se ____________ notícias de nossos filhos.
7. (ser/ter) Minha vida ____________ mais fácil se eu ____________ um salário maior.
8. (falar/ouvir) Se você ____________ mais alto, ele a ____________.
9. (estar/ajudar) Se ela ____________ aqui conosco, ela nos ____________.
10. (gostar/conhecer) Você com certeza ____________ dele se o ____________.

B. Faça sentenças com os verbos indicados:

1. ter tempo/estudar Se eu tivesse mais tempo, estudaria francês.
2. ter dinheiro/comprar ____________

3. poder/jantar ____________________
4. estar frio/ficar em casa ____________________
5. estar feliz/sorrir ____________________
6. ir ao médico/sarar ____________________
7. ser verão/ir à praia ____________________
8. querer/ajudar ____________________
9. ler/gostar ____________________
10. trabalhar/ficar rico ____________________

C. Faça sentenças, começando com se:

1. (querer) Se você quisesse, eu ____________________
2. (poder) Se nós ____________________, ____________________
3. (sair) Se ____________________, ____________________
4. (dizer) Se ____________________, ____________________
5. (fazer) Se ____________________, ____________________

D. Faça sentenças. Não comece com se:

1. (perder) Nós perderíamos o trem se ____________________
2. (comprar) Ele compraria ____________________
3. (dar) A gente ____________________
4. (ajudar) ____________________
5. (trazer) ____________________

E. Responda oralmente:

1. O que você faria se fosse milionário?
   Se eu ____________________, eu ____________________
2. O que você faria se fosse um grande jogador de futebol?
3. O que você faria se ganhasse um grande prêmio na loteria?
4. O que você faria se tivesse 15 anos?
5. Se você soubesse que o mundo iria acabar amanhã, o que você faria nestas últimas horas?

Verbos irregulares (1)

Verbos em -ear, -iar e uir (passear, pentear, etc., odiar, construir e destruir) são irregulares no presente do indicativo.

Modo Indicativo

Presente Simples

PASSEAR		ODIAR *		CONSTRUIR **	
Eu	passeio	Eu	odeio	Eu	construo
Ele / Ela / Você	passeia	Ele / Ela / Você	odeia	Ele / Ela / Você	constrói
Nós	passeamos	Nós	odiamos	Nós	construímos
Eles / Elas / Vocês	passeiam	Eles / Elas / Vocês	odeiam	Eles / Elas / Vocês	constróem

A. Complete estas sentenças colocando o verbo no tempo adequado:

1. (passear) Quando éramos crianças, ________________ sempre pela praia com papai.
2. (odiar) Eu ________________ fofocas.
3. (semear) "Quem ________________ ventos colhe tempestades".
4. (semear) No ano que vem eles ________________ batatas.
5. (passear) Não quero que você ________________ à noite.
6. (pentear-se) Eu sempre me ________________ pela manhã.
7. (pentear-se) O professor não permite que eu me ________________ na classe.
8. (pentear-se) Ela não permitiu que eu me ________________ na classe.
9. (pentear-se) Ele proíbe que nós nos ________________ na sala.
10. (pentear-se) Ela não deixa que as crianças se ________________ na sala.
11. (passear) Duvido que eles ________________ na chuva.
12. (passear) Marlene duvida que nós ________________ na chuva.
13. (construir) Engenheiros ________________ edifícios.
14. (destruir) Dinamites ________________ edifícios.
15. (construir) Espero que ele ________________ uma casa maior.
16. (poluir) As indústrias sempre ________________ o ambiente.
17. (destruir) No mês passado uma terrível enchente ________________ todas as casas à beira do rio.
18. (construir) Mesmo que o governo ________________ dez mil casas, muita gente ficará sem teto.

---

* A maioria dos verbos em *-iar* conjuga-se regularmente (criar, pronunciar, copiar)

** Só *construir* e *destruir* são irregulares. Os outros verbos em *-uir* (distribuir, atribuir, substituir, poluir, etc.) são conjugados regularmente: eu distribuo, ele distribui, etc.

19. (destruir) As formigas ______________________ plantações inteiras.
20. (substituir) A soja ______________________ o feijão?
21. (odiar) Eu o amo, embora ele me ______________________.
22. (semear) Se eu conseguisse um empréstimo do banco, ______________________ tomates e batatas.
23. (estrear) Não quero que você ______________________ seu sapato novo hoje. Está chovendo.
24. (destruir/reconstruir) No dia da estréia, uma bomba ______________________ todo o teatro. Os proprietários vão ______________________-lo.
25. (estrear) Meu marido não quer que nós ______________________ nosso carro hoje. Ele prefere ______________________-lo no fim de semana.
26. (passear/pentear-se) Crianças, para que vocês ______________________ é preciso que se ______________________.

Verbos irregulares (2)

Perder, valer, medir, caber e seguir (conseguir, prosseguir, perseguir, etc.) são irregulares na 1ª pessoa do presente do indicativo.

PERDER		VALER		MEDIR*	
Eu	perco	Eu	valho	Eu	meço
Ele / Ela / Você	perde	Ele / Ela / Você	vale	Ele / Ela / Você	mede
Nós	perdemos	Nós	valemos	Nós	medimos
Eles / Elas / Vocês	perdem	Eles / Elas / Vocês	valem	Eles / Elas / Vocês	medem

CABER**		SEGUIR***	
Eu	caibo	Eu	sigo
Ele / Ela / Você	cabe	Ele / Ela / Você	segue
Nós	cabemos	Nós	seguimos
Eles / Elas / Vocês	cabem	Eles / Elas / Vocês	seguem

* Como pedir (peço, pede)
** Como saber, no perfeito (soube, soube)
*** Como vestir (visto, veste)

A. Complete estas sentenças colocando o verbo no tempo adequado:

1. (medir) Eu ________________ 1,60 m e ele ________________ 1,70 m.
2. (medir) Ele não quer que você ________________ a sala. Ele já a ________________ ontem.
3. (valer) Este carro está muito maltratado. Já não ________________ mais nada.
4. (valer) Gosto do meu carro, embora ele não ________________ grande coisa
5. (valer) Se minha casa ________________ mais, eu a trocaria por um apartamento.
6. (caber) Ele não ________________ em si de contente pois ganhou a sorte grande.
7. (caber) Eu não ________________ em seu carro. Ele está muito cheio.
8. (caber) Para que sua mala ________________ no armário, precisaremos tirar as caixas.
9. (caber) As crianças sentarão no chão a fim de que os adultos ________________ no sofá.
10. (caber) Não ________________ a mim dar opinião.
11. (caber) Se me ________________ dar opinião, eu não a daria.
12. (perder) Eu ________________ o sono sempre que ele ________________ dinheiro.
13. (perder) Antigamente eu ________________ o ônibus todos os dias. Agora tenho um despertador.
14. (perder) Vou dar-lhe um mapa para que você não se ________________.
15. (perder) Ele já tinha ________________ a esperança quando ela telefonou.
16. (perder) Ela me disse que eu ________________ a oportunidade se não aparecesse no escritório.
17. (perder) É melhor que nós ________________ as esperanças. Nosso cavalo está ________________.
18. (seguir) Eu ________________ pela praia e meu cachorro sempre ________________ atrás de mim.
19. (perseguir) Para que a polícia ________________ a quadrilha é necessário que tenha pelo menos uma pista.
20. (prosseguir) Se eu tivesse estímulo, ________________ no meu trabalho.
21. (conseguir) Veja! Eu não ________________ acabar este desenho. João também não ________________. Talvez você ________________.

Contexto

O gato e a barata

A baratinha velha subiu pelo pé do copo que, ainda com um pouco de vinho, tinha sido largado a um canto da cozinha, desceu pela parte de dentro e começou a lambiscar o vinho. Dada a pequena distância que nas baratas vai da boca ao cérebro, o álcool lhe subiu logo. Bêbada, a baratinha caiu dentro do copo. Debateu-se, bebeu mais vinho, ficou mais tonta, debatendo-se mais, bebeu mais, tonteou mais e já quase morria quando deparou com o carão do gato doméstico que sorria de sua aflição do alto do copo.

— Gatinho, meu gatinho, pediu ela — me salva(1), me salva. Me salva(2) que assim que eu sair daqui eu deixo você me engolir inteirinha, como você gosta. Me salva.

— Você deixa mesmo eu engolir você? — disse o gato.

— Me saaalva! — implorou a baratinha. Eu prometo.

O gato, então, virou o copo com uma pata, o líquido escorreu e com ele a baratinha que, assim que se viu no chão, saiu correndo para o buraco mais perto, onde caiu na gargalhada.

— Que é isso? — perguntou o gato. Você não vai sair daí e cumprir sua promessa? Você disse que deixaria eu comer você inteirinha.

— Ah, ah, ah, — riu então a barata, sem poder se conter. E você é tão imbecil a ponto de acreditar na promessa de uma barata velha e bêbada?

Millor Fernandes. Fábulas Fabulosas.

1. me salva – Emprego popular. Forma de imperativo de 2ª pessoa do singular (tu), empregado em lugar da 3ª pessoa (salve-me *você*)
2. me salva – Português popular, com o pronome complemento *me* colocado no início da oração. Forma correta: salva-*me*.

A. Enumere as ações da baratinha:

1. A baratinha subiu pelo pé do copo.
2. A baratinha desceu pela parte de dentro, etc.
3. ____________________

B. Enumere as ações do gato:

1. O gato sorria do alto do copo.
2. ____________________

C. Diga de outra forma e depois empregue três destas palavras em orações:

1. lambiscar – ____________________
2. debater-se – ____________________
3. deparar – ____________________
4. escorrer – ____________________
5. cair na gargalhada – ____________________
6. conter-se – ____________________

D. Responda:

1. A baratinha caiu logo dentro do copo?

____

2. Por que ela ficou logo tonta?

____

3. A baratinha ia morrendo sem reagir?

____

4. Por que o gato, animal tão esperto, foi enganado pela baratinha?

____

5. Você acha que a baratinha estava mesmo muito bêbada quando falou com o gato? Por quê?

____

E. Assinale a alternativa correta:

1. Assim que se viu no chão, a baratinha. . .

a) logo que se encontrou no chão, a baratinha . . .
b) logo que se olhou no chão, a baratinha . . .
c) logo que viu o chão, a baratinha . . .
d) logo que encontrou o chão, a baratinha . . .

2. Já quase morria quando deparou com o carão do gato . . .

a) o gatão olhava a baratinha
b) o gatão quase não via a baratinha
c) a baratinha quase não via o carão do gato
d) a baratinha viu, inesperadamente, o carão do gato que morria

3. Saiu correndo para o buraco, onde caiu na gargalhada.

a) a baratinha caiu no buraco
b) a baratinha morreu de rir
c) a baratinha riu do gato, na cara dele
d) a baratinha apressou-se a ir para o buraco para cair na gargalhada

4. De acordo com o texto:

a) o gato gosta de comer baratas inteiras
b) o gato atacou a baratinha com uma patada
c) a baratinha estava no canto do copo
d) a baratinha, logo que se viu no chão, correu mas escorregou com o líquido

Imperativo

Afirmativo e negativo — Suas formas correspondem às formas do presente do subjuntivo (Consulte o apêndice gramatical)

MORAR

Presente do Subjuntivo		**Imperativo***
Que você more	→	(Não) More você
Que nós moremos	→	(Não) Moremos nós
Que vocês morem	→	(Não) Morem vocês

VENDER

Presente do Subjuntivo	**Imperativo**
Que você venda	(Não) Venda você
Que nós vendamos	(Não) Vendamos nós
Que vocês vendam	(Não) Vendam vocês

---

* **Geralmente não se emprega o pronome sujeito com o imperativo:**
Façamos (nós) o trabalho.
Não corram (vocês) muito.

ABRIR

Presente do Subjuntivo		Imperativo
Que você abra	→	(Não) Abra você
Que nós abramos	→	(Não) Abramos nós
Que vocês abram	→	(Não) Abram vocês

A. Complete com os verbos indicados no imperativo:

1. (fechar) Maria ______________ a porta, por favor.
2. (andar) Crianças, ______________ mais depressa.
3. (comer) Sílvia, não ______________ muita massa.
4. (beber) Mário, não ______________ muito refrigerante.
5. (transmitir) Atenção senhores diretores: ______________ esta notícia para todos os funcionários.
6. (vir) ______________ todos ver estas fotos.
7. (vir/trazer) ______________ à festa e ______________ seus filhos com vocês.
8. (ver/fazer/nós) ______________ este programa mas não ______________ barulho.
9. (sentir/dar/vocês) Não ______________ pena destes homens, ao contrário, ______________-lhes toda a ajuda.
10. (descobrir/fazer) Rapazes, ______________ toda a verdade e depois ______________ um relatório.
11. (dormir) ______________, Maria.
12. (conhecer) Meus amigos, tão cedo não voltaremos aqui, por isso ______________ o maior número possível de monumentos.

B. Dê ordens para:

1. Maria fechar a porta. ______________
2. José trancar a porta. ______________
3. Maria não sair de casa. ______________
4. Zezinho dormir mais cedo. ______________
5. João não pagar a conta do telefone. ______________
6. Entregar a conta ao diretor. ______________
7. Pôr mais mesas na sala. ______________
8. Trazer água para o conferencista. ______________
9. Fazer menos barulho. ______________
10. Ler mais baixo. ______________

C. Substitua pelo imperativo:

1. Você fará o trabalho. *Faça o trabalho.*
2. Nós não trabalhamos aqui. ______
3. Os senhores refletirão sobre o assunto. ______
4. As crianças não verão este filme. ______
5. Nós oferecemos um chá às nossas amigas. ______
6. É melhor que vocês digam a verdade. ______
7. Nós não esquecemos a festa. ______
8. Vocês não se sentam nestas poltronas. ______
9. Você não sobe as escadas correndo. ______
10. É melhor que cheguemos cedo. ______

D. Ponha os verbos no imperativo e substitua os complementos por um pronome (Veja antes a Unidade 6):

1. Vocês estudam *a lição*. Estudem-na.
2. Ele oferece *flores* à Maria. ______
3. Este porteiro não abre *a porta* para estranhos. ______
4. Eles querem *este artigo*. ______
5. Elas aceitam *a situação*. ______
6. Os engenheiros fazem *as nossas plantas*. ______
7. Nossos amigos trazem *boas notícias*. ______
8. Você manda *cartas* da Europa. ______
9. As crianças sobem *as escadas* correndo. ______
10. Os alunos fazem *testes*. ______
11. A firma aceita *novos técnicos*. ______
12. Eles admitem *novos técnicos*. ______
13. Eles aprendem *geografia*. ______
14. Estas lojas dão *desconto*. ______
15. Vocês dizem *a verdade*. ______

E. Leia atentamente o bilhete de Sofia para suas filhas Ângela e Beatriz:

Ângela e Beatriz:

Vou passar o dia fora. Estou lhes lembrando o que vocês têm para hoje. Primeiro, vocês *farão* suas lições e só depois *brincarão* com suas amigas. Às onze e meia vocês *almoçarão* e a uma hora *irão* para o colégio. Vocês *ficarão* atentas e não *chegarão* atrasadas. Para isto vocês vão *vestir-se* e *sair* com antecedência e *porão* uma blusa limpa. Vocês *serão* comportadas durante as aulas e *terão* todos os deveres prontos.
Chegando do colégio, se quiserem, *verão* televisão.

Até o jantar. Beijos.

Mamãe

Agora, reescreva o bilhete colocando os verbos grifados no imperativo.

____
____
____
____
____
____
____
____
____
____
____

F. Baseando-se no texto "O gato e a barata", ponha as orações abaixo no imperativo:

1. (subir, descer, lambiscar) – Baratinha, ______________ pelo pé do copo, ______________ pela parte de dentro e ______________ o vinho.
2. (salvar) – Gatinho, ______________ -me.
3. (sair) – Que é isso, baratinha. ______________ já daí.
4. (ser) – Gatinho, não ______________ tão imbecil.
5. (acreditar) – Gatinho, não ______________ em barata velha e bêbada.

G. Complete o quadro:

SUBSTANTIVO	ADJETIVO
1.	forte
2. a beleza	
3. a saúde	
4.	feio
5.	verdadeiro
6.	sozinho
7. a importância	
8.	feliz
9.	delicado
10.	largo
11. a altura	
12.	comprido

Intervalo (as músicas encontram-se gravadas em fita)

A banda

Letra e música de Chico Buarque

Estava à toa na vida
O meu amor me chamou
Pra ver a banda passar
Cantando coisas de amor

A minha gente sofrida
Despediu-se da dor
Pra ver a banda passar
Cantando coisas de amor

O homem sério que contava dinheiro, parou
O faroleiro que contava vantagem, parou
A namorada que contava as estrelas, parou
Pra ver, ouvir e dar passagem

A moça triste que vivia calada sorriu
A rosa triste que vivia fechada se abriu
E a meninada toda se assanhou
Pra ver a banda passar
Cantando coisas de amor

Estava à toa na vida
O meu amor me chamou
Pra ver a banda passar
Cantando coisas de amor.

A minha gente sofrida
Despediu-se da dor
Pra ver a banda passar
Cantando coisas de amor

O velho fraco se esqueceu do cansaço e pensou
Que ainda era moço pra sair no terraço e dançou
A moça feia debruçou na janela
Pensando que a banda tocava prá ela

A marcha alegre se espalhou na avenida e insistiu
A lua cheia que vivia escondida surgiu
Minha cidade toda se enfeitou
Pra ver a banda passar
Cantando coisas de amor

Mas para meu desencanto
O que era doce acabou
Tudo tomou seu lugar
Depois que a banda passou

E cada qual no seu canto
E em cada canto uma dor
Depois da banda passar
Cantando coisas de amor.

Responda:

1. Como estava a cidade antes de a banda passar?

____

2. O que o homem sério estava fazendo antes de a banda passar? E a namorada? E o faroleiro?

____

____

3. Quando a banda estava passando o que fez a meninada? E a moça triste, o velho fraco, a moça feia, a lua cheia, a rosa? E o povo?

____

____

____

4. O que aconteceu depois que a banda foi embora?

____

A felicidade

(Antonio Carlos Jobim e Vinícius de Morais)

Tristeza não tem fim
Felicidade sim
A felicidade é como a pluma
que o vento vai levando pelo ar
Voa tão leve, mas tem a vida breve
Precisa que haja vento sem parar
A felicidade do pobre parece
A grande ilusão do carnaval
A gente trabalha o ano inteiro
Por um momento de sonho para fazer a fantasia
De rei ou de pirata ou jardineira
Prá tudo se acabar na quarta-feira
A felicidade é como a gota de orvalho
Numa pétala de flor
Brilha tranqüila depois de leve oscila
E cai como uma lágrima de amor
A minha felicidade está sonhando
Nos olhos da minha namorada
É como esta noite passando, passando
Em busca da madrugada
Fale baixo por favor
Prá que ela acorde alegre com o dia
Oferecendo beijos de amor.

Texto Narrativo

O carnaval

A maior festa popular brasileira e a mais conhecida mundialmente é, sem dúvida, o carnaval. Este dura, oficialmente, os três dias que antecedem o início da Quaresma, ou seja, domingo, segunda-feira e terça-feira, esta chamada, também, terça-feira gorda. Mas na realidade, o carnaval começa já na noite de sábado e só termina na manhã de quarta-feira de Cinzas.

Alegria ou ilusão? Muito se tem falado do carnaval brasileiro. O poeta diz na música:

> "A gente trabalha o ano inteiro,
> Por um momento de sonho,
> Pra fazer a fantasia de rei,
> De pirata ou jardineira,
> E tudo se acabar na quarta-feira."

A tradição desta festa vem desde os tempos da guerra do Paraguai. No começo era o entrudo, festa de origem européia. Usavam-se água, farinha de trigo e polvilho para as brincadeiras de que participavam fazendeiros, peões[1], brancos e negros. Com o tempo, devido a excessos, o entrudo foi proibido em algumas cidades. Tentou-se, então, transformar as festas de rua em bailes de salão. O primeiro foi no Rio de Janeiro, em 1840.

A primeira manifestação popular, como a conhecemos hoje, foi o cordão do "Zé Pereira" (nome muito comum no Brasil), iniciado em 1846, que, a partir das 22 horas do sábado, saía pelas ruas da cidade, com bumbos e tambores, fazendo um barulho ensurdecedor.

Depois dos cordões vieram os corsos, um enorme desfile de carros, muitos com capotas de lona abaixadas, levando foliões fantasiados, muito confete, muita serpentina e alegria. Os corsos ficaram famosos em todo

(1) trabalhador de fazenda

o país e mesmo as pequenas cidades do interior costumavam fazê-lo. Hoje já não existem.
Várias cidades brasileiras mantêm, por tradição, um carnaval de rua, com manifestações bem características. Em Salvador, na Bahia, por exemplo, o Trio Elétrico, um caminhão muito iluminado e lento, tocando músicas carnavalescas num volume de som infernal, é seguido pela multidão que, fantasiada ou não, dança e brinca na maior confusão. Em Recife, o frevo, ritmo popular muito agitado, é dançado alegremente pelas ruas.
Com o passar dos anos o carnaval de rua, exceto pelas manifestações tradicionais como as de Recife e Salvador, deu lugar ao carnaval de salão. Do primeiro resta apenas, praticamente, o desfile das escolas de samba, certamente o que há de mais lindo e espetacular nos festejos carnavalescos. Embora haja desfiles em várias cidades brasileiras, o Rio de Janeiro é, sem sombra de dúvida, o grande cenário. As escolas de samba cariocas nasceram no morro. A primeira surgiu em 1929. Compositores, instrumentistas e dançarinos uniam-se para desfilar. As mulheres saiam vestidas de baianas e os homens com roupa colorida, camisa listrada e chapéu de palha, a indumentária típica do malandro carioca.
Só em 1952 as escolas começaram a organizar-se realmente. Hoje, o samba desce o morro e "pede passagem" para entrar na avenida. O espetáculo é quase indescritível. Ao som da batucada, dezenas de milhares de pessoas, de todas as idades, operários, comerciários, velhas cozinheiras, arrumadeiras, estudantes, costureiras, desocupados, sambando, invadem a cidade, transformados em reis, rainhas, índios, generais, damas antigas, numa grande festa colorida de cetim, plumas e lantejoulas. É o mundo de sonho e fantasia, que, depois de um ano de ansiosa preparação, desfila sob os aplausos do público.
O Rio pára nesses três dias para viver o carnaval. Na quarta-feira tudo é apenas uma lembrança. Os operários voltam para as suas máquinas, as cozinheiras para seu fogão, os comerciários para seu balcão. Mas, enquanto se espera o resultado do julgamento, já se pensa no desfile do próximo ano.

A. Responda:

1. Quando têm lugar os festejos do carnaval?

___

2. O que era o entrudo?

___

3. Como surgiram os bailes de salão?

___

4. Quais são as manifestações principais do carnaval de rua?

___

___

5. O que é o "Zé Pereira"?

___

6. O que substitui a água e a farinha do tempo do entrudo?

7. De onde vieram as escolas de samba?

8. De que maneira os elementos das escolas de samba manifestam o seu mundo de ilusão?

9. Explique a expressão: "o samba pede passagem".

10. Você já assistiu a um carnaval brasileiro? Qual a sua opinião sobre ele?

Ditado: Veja observação da pág. 9.

Unidade 16

Queremos entrevistá-lo

Funcionário do Governo: — Está tudo pronto para a recepção ao Primeiro Ministro.

Jornalista: — Como vai ser?

Funcionário: — Quando o avião pousar, às 13 horas, entraremos na pista. Depois aguardaremos um pouco. Assim que o Primeiro Ministro aparecer à porta do avião, nosso representante irá recebê-lo. Depois ouviremos o Hino Nacional.

Jornalista: — E em seguida?

Funcionário: — Em seguida iremos levá-lo ao hotel. Até às três, ele descansará. Aí, então, receberá algumas autoridades e assinará acordos. À noite, haverá um banquete. Nesse momento, se for possível, os jornalistas poderão entrevistá-lo. Você compreende, não é? Haverá pouco tempo para a imprensa.

Jornalista: — Mas, queremos conversar com ele pelo menos por meia hora. Não podemos perder esta oportunidade.

Funcionário: — Está bem, está bem. Haja o que houver, conceder-lhes-ei 20 minutos.

Modo Subjuntivo

Futuro

MORAR		**VENDER**	
Quando eu	morar	Quando eu	vender
Quando ele		Quando ele	
Quando ela	morar	Quando ela	vender
Quando você		Quando você	
Quando nós	morarmos	Quando nós	vendermos
Quando eles		Quando eles	
Quando elas	morarem	Quando elas	venderem
Quando vocês		Quando vocês	

ABRIR

Quando eu	abrir
Quando ele	
Quando ela	abrir
Quando você	
Quando nós	abrirmos
Quando eles	
Quando elas	abrirem
Quando vocês	

Formação:

Forma-se o futuro do subjuntivo a partir da 3.ª pessoa do plural do perfeito do indicativo.

Perfeito do Indicativo		**Futuro do Subjuntivo**
saber — Eles souberam	→	quando eu souber
ser — eles foram	→	quando eu for
fazer — eles fizeram	→	quando eu fizer

Emprego: O futuro do subjuntivo expressa ação futura. Emprega-se:

a) depois das conjunções *quando, enquanto, logo que, assim que, depois que, se, como, sempre que, a medida que, conforme:*

Enviarei o dinheiro {
quando quiser.
enquanto puder.
logo que (assim que) puder.
depois que ele sair.
se tiver tempo.
como (= conforme) puder.
sempre que for possível.
a medida que for recebendo.

b) em orações relativas:

Receberei {
quem vier.
aquele que vier.
todos os que vierem.
tudo quanto eles mandarem.
tudo o que eles mandarem.
onde você quiser.
quanto quiser.

c) em orações do tipo:

Ficaremos aqui {
aconteça o que acontecer.
haja o que houver.
digam o que disserem.
pensem o que pensarem.
venha quem vier.

A. Dê o Futuro do Subjuntivo a partir da 3ª pessoa do plural do Perfeito do Indicativo:

Perfeito do Indicativo	Futuro do Subjuntivo
1. (beber) Eles ________	Quando eu ________
2. (conseguir) Eles ________	Quando você ________
3. (sair) Eles ________	Quando nós ________
4. (pôr) Eles ________	Quando eles ________
5. (dizer) Eles ________	Quando vocês ________
6. (ir) Eles ________	Quando nós ________
7. (vir) Eles ________	Quando eu ________
8. (ver) Eles ________	Quando eu ________
9. (acabar) Eles ________	Quando nós ________
10. (fazer) Eles ________	Quando elas ________

B. Complete com o Futuro do Subjuntivo:

1. (querer) Se Deus ________, tudo dará certo.
2. (entrar) Aplaudiremos quando o artista ________.
3. (poder) Agüentaremos enquanto ________.
4. (querer) Faça como ________.
5. (ter) Avisaremos quando ________ notícias.
6. (dar) Sairei logo que o professor ________ licença.
7. (saber) Telefonarei para você se ________ de alguma novidade.
8. (caber) Levarei sua bagagem se ela ________ no carro.
9. (chegar) João trocará de roupa assim que ________ em casa.
10. (estar) Venham visitar-me sempre que ________ livres.

11. (estar) O aluno não falará enquanto o professor ______________ explicando a matéria.
12. (ser) O menino disse que será médico quando ____________ grande.
13. (ouvir) Elas prometeram que não abrirão a porta se ______________ barulho no quintal.
14. (fazer/chover) Se ______________ calor ficaremos na praia, se ______________ ficaremos em casa.
15. (pedir) Ajude-os, quando eles ______________ auxílio.
16. (vir) Quando nós ______________, traremos um presente.
17. (estar) Enquanto o sinal ______________ vermelho, não poderemos passar.
18. (fazer) Conforme o trabalho que nós ______________, ganharemos muito dinheiro.
19. (ver) Lembrarei o que aconteceu sempre que ____________ José.
20. (fechar) Depois que nós ______________ as janelas, trancaremos todas as portas.
21. (poder) Pense em nós sempre que ______________.

C. Complete com o Futuro do Subjuntivo:

1. (poder) O barco está afundando! Salve-se quem ______________.
2. (chegar) Quem ______________ primeiro escolherá o melhor lugar.
3. (mandar) Prometo que faremos tudo o que vocês ______________.
4. (querer) Todos os que ______________ fazer o curso deverão deixar seu nome na secretaria.
5. (estar) Levante a mão quem ______________ contra.
6. (estar) Fiquei sentado quem ______________ de acordo.
7. (dar) Aquele que ______________ informações sobre meu cachorro será bem gratificado.
8. (dizer) Tudo quanto vocês ______________ será gravado.
9. (pagar) Todos os que ______________ em dia terão um desconto de 10%.
10. (trazer) Receberemos bem todas as pessoas que eles ______________.

D. Complete as sentenças com expressões deste tipo: "Aconteça o que acontecer . . ."

1. (ser) ____________ quem ____________, diga que não estou.
2. (doer) ____________ a quem ____________, diremos toda a verdade.
3. (haver) ____________ o que ____________, continuaremos bons amigos.
4. (dar) ____________ quanto ____________, nunca pagará sua dívida.

5. (ir) ____________ aonde ____________ , ele sempre será reconhecido.
6. (fazer) Não adianta, João. ____________ o que ____________ , você não resolverá o problema.
7. (estar) Eu o encontrarei algum dia, ____________ onde ____________ .
8. (chover) ____________ quanto ____________ , o calor não diminuirá.
9. (ser) Diga-me a verdade, ____________ ela qual ____________ .
10. (dizer) Vocês não me farão mudar de idéia, ____________ o que ____________ .
11. (custar) Você me ouvirá ____________ o que ____________ .

E. Responda às seguintes perguntas. Use sentenças do tipo "Aconteça o que acontecer . . ."

1. – Marcelo, adianta dizer a verdade neste caso?
   – Não adianta, não, Diga o que disser, ninguém vai acreditar.
2. – Marisa, você ainda não desistiu do apartamento?
   – Não desisti, não. (custar) ____________
3. – André, você não vai mudar de idéia?
   – Não vou, não. (haver) ____________
4. – Diva, você vai mesmo contar a verdade?
   – Vou. (doer) ____________
5. – Doutor, o telefone está tocando. O senhor pode atender?
   – Não posso, não. (ser) ____________
6. – Você acha que Luís será feliz lá no Pará?
   – Não acho, não. (estar) ____________
7. – Valeu a pena fazer o seguro?
   – Valeu. (acontecer) ____________
8. – Raul, vale a pena insistir?
   – Claro que vale! (custar) ____________
9. – O senhor vai mesmo investigar o caso?
   – Vou, é claro. (doer) ____________

Colocação do pronome átono

(me, te, se, lhe, o, a, nos, vos, se, lhes, os, as)

O pronome átono é colocado:

a) *depois* do verbo – Conte-me tudo. (regra geral)
b) *antes* do verbo – Não me atrapalhe.

atraído por: – palavras ou expressões negativas (não, nunca, etc.)
– relativos (que, quem, qual, etc.)
– indefinidos (alguém, outro, vários, etc.)

– conjunções subordinativas (quando, se, como, porque, embora, etc.)
– advérbios (talvez, aqui, mal, etc.)

c) no *meio* do verbo: no futuro do presente e futuro do pretérito:
Dar-lhe-ei notícias.
Dir-lhe-ia tudo.

Observações: – Não se começa sentença com pronome átono.
– Nunca se coloca o pronome átono depois do futuro do presente e do futuro do pretérito.
– Há tendência generalizada para a colocação do pronome átono antes do verbo: Eu me chamo Maria.

A. Coloque o pronome corretamente:

1. (lhe) Não telefonei ontem.

____

2. (me) Diga o que sabe.

____

3. (as) Dei para meu melhor amigo.

____

4. (se/lhe) Nunca esqueça do que dissemos.

____

5. (se) Alguém sentou na minha cadeira.

____

6. (me) Quando chamaram, já era tarde.

____

7. (lhe) Daria tudo para que dissesse a verdade.

____

8. (lhe/me) Tudo daria para que dissesse a verdade.

____

9. (lhes) Farei alguns favores.

____

10. (lhes) Não farei nenhum favor.

____

11. (nos/nos) Embora conte muita coisa, ele não conta tudo.

____

12. (lhe/me) Peço que ouça.

____

Recorde (consulte a unidade 6)

Trouxer*am* os amigos ——————→ Trouxer*am-n*os
Preciso paga*r* a conta ——————→ Preciso pagá-*l*a.

Aprenda:

Demos *o presente* para ele ⟶ Demo-*l*o para ele.
Mandamos *a carta* ontem ⟶ Mandamo-*l*a ontem.

B. Substitua as palavras grifadas por um pronome e coloque-o corretamente na oração:

1. Infelizmente não podemos ajudar *nosso amigo.*

2. Fiz tudo para destruir *as suspeitas.*

3. Veremos *nosso filho* alegre.

4. Levarei *a mala* comigo.

5. Deixaremos *os documentos* na gaveta.

6. Escreveremos *a carta* amanhã.

7. Não mandaremos *estas notícias* hoje.

8. Você sabia que recusei *a oferta*?

9. Se levarmos *as crianças*, não teremos sossego.

10. Conte tudo *para nós.*

11. Tudo será negado *aos nossos inimigos.*

12. Nada posso dizer *a você.*

13. Queremos *as informações* agora.

14. Vimos *os rapazes* correndo.

15. Escutamos *a mesma música* três vezes.

16. Os convidados beberam toda *a cerveja.*

17. Vocês deram *os bilhetes* a João?

18. Consegui trocar *a blusa*.

____

19. Quero ler *o relatório* mais uma vez.

____

20. Precisamos completar *o exercício* agora.

____

Contexto – Natal

É noite de Natal, e estou sozinho na casa de um amigo, que foi para a fazenda. Mais tarde talvez saia. Mas vou me deixando ficar sozinho, numa confortável melancolia, na casa quieta e cômoda. Dou alguns telefonemas, abraço à distância alguns amigos. Essas poucas vozes, de homem e mulher, que respondem alegremente à minha, são quentes, e me fazem bem. "Feliz Natal, muitas felicidades!"; dizemos essas coisas simples com afetuoso calor; dizemos e creio que sentimos; e como sentimos, merecemos. Feliz Natal!

Desembrulho a garrafa que um amigo teve a lembrança de me mandar ontem; vou lá dentro, abro a geladeira, preparo um uísque, e venho me sentar no jardinzinho, perto das folhagens úmidas. Sinto-me bem, oferecendo-me este copo, na casa silenciosa, nessa noite de rua quieta. Este jardinzinho tem o encanto sábio e agreste da dona de casa que o formou. É um espaço folhudo e florido de cores, que parece respirar; tem a vida misteriosa das moitas perdidas, um gosto de roça, uma alegria meio caipira de verdes, vermelhos e amarelos.

Penso, sem saudade nem mágoa, no ano que passou. Há nele uma sombra dolorosa; evoco-a neste momento, sozinho, com uma espécie de religiosa emoção. Há também, no fundo da paisagem escura e desarrumada desse ano, uma clara mancha de sol. Bebo silenciosamente a essas imagens da morte e da vida; dentro de mim elas são irmãs. Penso em outras pessoas. Sinto uma grande ternura pelas pessoas; sou um homem sozinho, numa noite quieta, junto de folhagens úmidas bebendo gravemente em honra de muitas pessoas. De repente um carro começa a buzinar com força, junto ao meu portão.

Talvez seja algum amigo que venha me desejar Feliz Natal ou convidar para ir a algum lugar. Hesito ainda um instante; ninguém pode pensar que eu esteja em casa a esta hora. Mas a buzina é insistente. Levanto-me com certo alvoroço, olho a rua, e sorrio: é um caminhão de lixo. Está tão carregado, que nem se pode fechar; tão carregado como se trouxesse todo o lixo do ano que passou, todo o lixo da vida que se vai vivendo. Bonito presente de Natal! O motorista buzina ainda algumas vezes, olhando uma janela do sobrado vizinho. Lembro-me de ter visto naquela janela uma jovem mulata de vermelho sempre a cantarolar e a espiar a rua. É certamente ela quem procura o motorista retardatário: mas a janela permanece fechada e escura. Ele movimenta com violência seu grande carro negro e sujo; parte com ruído, estremecendo a rua.
Volto à minha paz, e ao meu uísque. Mas a frustração do lixeiro e a minha também quebraram o encanto solitário da noite de Natal. Fecho a casa e saio devagar; vou humildemente filar uma fatia de presunto e de alegria na casa de uma família amiga.

(Rubem Braga, *A Borboleta Amarela*)

A. Responda:

1. Por que o Natal é uma "noite de rua quieta"?

____

2. Por que ele foi até a geladeira?

____

3. No final, o autor e o lixeiro ficaram frustrados. Qual foi a frustação do autor? E a do lixeiro?

____

____

B. Escolha a melhor alternativa:

1. No início o autor não sai porque:
   a) não tem nenhuma intenção de sair
   b) está com preguiça e a casa é confortável
   c) a casa é quieta e cômoda e a rua está vazia
   d) se sente bem assim sozinho na casa quieta e cômoda

2. O autor levanta-se com alvoroço porque:
   a) alguém está buzinando junto ao portão
   b) a idéia de que um amigo venha visitá-lo o alegra
   c) quer ver o caminhão de lixo tão carregado
   d) quer espiar a mulata que está sempre cantarolando

3. Bonito presente de Natal! O autor:
   a) acha que o presente é realmente bonito
   b) imagina que o caminhão, simbolicamente, vai levar embora todas as tristezas do ano e, por isso, se alegra
   c) está ironizando
   d) agradece o presente

C. Descubra no texto as passagens que afirmam que:

1. O ano que está chegando ao fim foi um ano difícil para o autor.
___
2. A lembrança dos acontecimentos do ano não entristece o autor.
___
3. O caminhão de lixo está atrasado.
___
4. A mulata é pessoa alegre.
___
5. Por um momento o caminhão destrói o sossego da rua.
___
6. Durante o ano um fato alegre, provavelmente um nascimento, trouxe felicidade para o autor.
___
7. O caminhão de lixo está completamente cheio.
___
8. Para o autor o caminhão destruiu a emoção daquela noite de Natal.
___
9. O autor brinda diversas pessoas.
___
10. A mulata não está em casa.
___
11. O autor está em paz com o mundo.
___

D. Explique:

1. . . . abraço à distância alguns amigos ___
2. É um espaço folhudo e florido de cores. ___
3. caipira ___
4. . . . uma alegria meio caipira de verdes, vermelhos e amarelos.
___
5. Essas poucas vozes . . . são quentes ___
6. Vou lá dentro ___
7. vou . . . filar uma fatia de presunto e de alegria. ___

E. Com o auxílio do prefixo <u>des</u>, diga o contrário:

1. Eu embrulho a garrafa. Eu desembrulho a garrafa.
2. A casa está arrumada. ____________________
3. Os operários vão carregar o caminhão? ____________________
4. Está frio hoje. Cubra o nenê. ____________________
5. Você precisa empacotar os livros. ____________________
6. Amarrem os sapatos. ____________________
7. Você pode montar a estante? ____________________
8. Ela apareceu depois da festa. ____________________
9. Vou fazer meu trabalho. ____________________
10. Ela está ajustada no emprego. ____________________
11. Os jovens respeitam os mais velhos. ____________________
12. Esta criança está bem orientada. ____________________
13. Você está sempre bem penteada. ____________________
14. Por que nossa cidade está policiada? ____________________
15. Não ligue a luz. ____________________
16. Ele está empregado. ____________________

Preposições

1. Penso *sem* saudade, nem mágoa . . .
2. Sou um homem sozinho . . . *junto de* folhagens úmidas
3. . . . *numa* confortável melancolia, *na* casa quieta.

I. Preposições simples

a – ante – após – até
com – contra
de – desde
em – entre
para – perante – por
sem – sob – sobre
trás

Outras preposições

Segundo = conforme
durante
exceto, etc.

A. Complete:

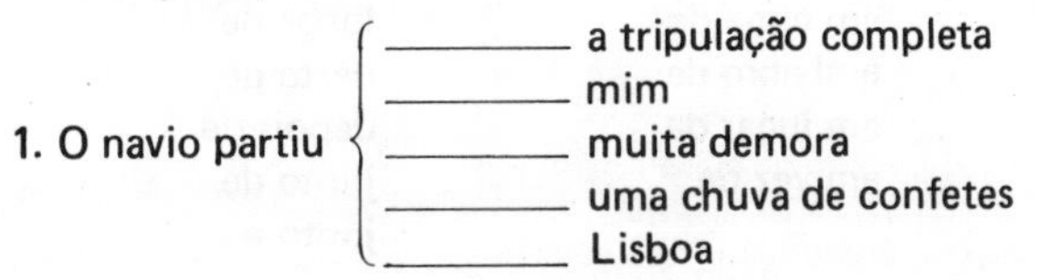

1. O navio partiu
   - ________ a tripulação completa
   - ________ mim
   - ________ muita demora
   - ________ uma chuva de confetes
   - ________ Lisboa

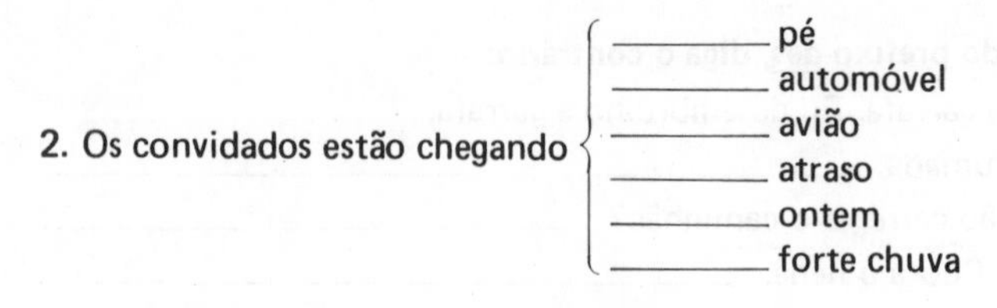

2. Os convidados estão chegando
- ______ pé
- ______ automóvel
- ______ avião
- ______ atraso
- ______ ontem
- ______ forte chuva

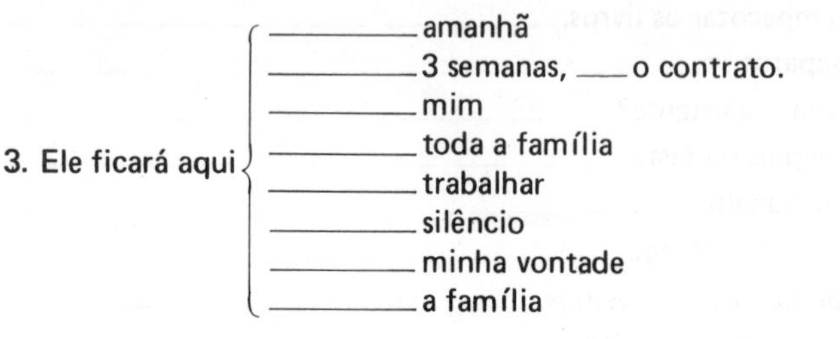

3. Ele ficará aqui
- ______ amanhã
- ______ 3 semanas, ___ o contrato.
- ______ mim
- ______ toda a família
- ______ trabalhar
- ______ silêncio
- ______ minha vontade
- ______ a família

B. Complete com uma preposição simples:

1. Ele falou ______________ todos.
2. Não venho aqui ______________ os 10 anos.
3. Comprei este presente ______________ Mário.
4. Não posso comprar este livro, estou ______________ dinheiro.
5. Só vamos jantar ______________ o cinema.
6. Nossos atletas receberam a medalha __________ ouro.
7. Há muitos buracos na rua. Ande ______________ cuidado.
8. O prisioneiro fugiu ______________ a noite.
9. Ela merece o prêmio: estudou ______________ muita dificuldade e lutou ______________ muitos obstáculos.
10. O réu apresentou-se ______________ o júri.
11. Infelizmente nada pudemos fazer ______________ ele.
12. Todos chegaram na hora, ______________ ele.
13. Temos que agir ______________ o regulamento.
14. Margarida, só a aceitaremos ______________ uma condição: não converse no telefone ______________ seus amigos.
15. O ator deixou o palco ______________ aplausos.

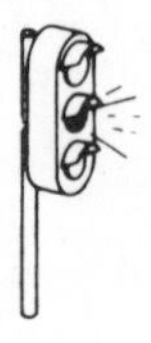

II — Locuções prepositivas

a fim de	de acordo com	por causa de
além de	em cima de	longe de
através de	embaixo de	perto de
apesar de	em lugar de	depois de
ao lado de	em vez de	junto de
antes de		junto a

A. Complete com uma locução prepositiva, combinada ou não com artigo:

1\. Eles partiram
- *apesar da* (a) chuva.
- ______________ (a) chuva.
- ______________ chuva.

2\. A aldeia fica
- ______________ (as) montanhas.
- ______________ (o) rio.
- ______________ (o) rio.
- ______________ uma grande floresta.

B. Complete com uma locução prepositiva:

1. Ele passou ______________ (os) carros para chegar mais depressa.
2. ______________ sair, fechou as janelas e apagou as luzes.
3. ______________ o nosso regulamento, ninguém pode ficar com as chaves das salas.
4. Já procurei por toda a parte, ______________ (a) mesa, ______________ (os) armários, ______________ (o) telefone, mas não acho o caderno de endereços.
5. Tudo deve estar pronto ______________ (o) convidado chegar.
6. Não gostei da festa porque, ______________ vinho, serviram cerveja.
7. ______________ (a) minha dor de cabeça, vou sair com você.
8. Ele gastou uma fortuna com a festa: ______________ vinho, havia também champagne.
9. Eles brigaram ______________ dinheiro.
10. Ontem ela passou ______________ mim e nem me cumprimentou.

III – Contração das preposições:

a + a = à	de + o = do	em + o = no
a + as = às	de + ele = dele	em + esse = nesse
	de + este = deste	em + um = num
	de + aquele = daquele	em + aquele = naquele
	de + isto = disto	por + o = pelo
	de + aqui = daqui	

Crase

Recorde (consulte a unidade 6)

Vou ao banco e depois à prefeitura.
Ela escreve aos amigos e *às* amigas.

Regra geral – Usa-se crase diante de substantivo feminino quando o verbo pede a preposição a.
Ex.: Dei o livro *à* menina.

Aprenda

Não se usa crase:

— diante de substantivos femininos usados em sentido geral e indeterminado
Ex.: Ele nunca vai *a* festas.
— diante de substantivos masculinos
Ex.: Ele escreveu o relatório *a* lápis.
— com verbos que não peçam a preposição a.
Ex.: Ele admirava *a* paisagem.
— nas locuções formadas com a repetição da mesma palavra
Ex.: Ele ia de cidade *a* cidade.
— diante de verbos
Ex.: Ele continuava *a* subir, sem parar.

Usa-se crase:

— nas locuções adverbiais formadas por substantivos femininos
Ex.:

à noite	à direita	*Atenção:*
à primeira vista	à milanesa	Comprar *a* prestação.
	às vezes	
à hora certa	às pressas	
	às 7 horas	

A. Craseie, se necessário:

1. Vai ao cinema ou a festa?
2. Vai assistir ao jogo ou a peça teatral?
3. Entregou o livro ao aluno ou a aluna?
4. Ele caminha em direção ao jardim ou a rua?
5. Atirou a moeda ao menino ou a menina?
6. Subiram ao monte ou a montanha?
7. Refere-se ao ator ou a atriz?
8. Dirigiu-se ao cinema ou a casa da amiga?
9. O caso aconteceu ao aluno ou a aluna?
10. Desobedecem ao pai ou a mãe?

B. Craseie, se necessário:

1. Os preços continuam a subir.
2. Estava a espera do amigo.
3. Conduziram-me a sala principal.
4. Chegamos as margens do rio.
5. A sala do diretor fica a esquerda de quem entra.
6. As minhas aulas são a tarde.
7. Tomou o remédio gota a gota.

8. Ele gosta de andar a cavalo, as primeiras horas da manhã.
9. Começou a ficar nervoso e foi a janela.
10. Os inimigos estavam frente a frente.
11. Quando percorreu a Europa, foi a Suíça.
12. Ele não é fiel a ela.
13. Dedica a vida a pesquisas.
14. Dedica a vida as pesquisas atômicas.
15. Ele não dá ouvidos a advertências.

C. Complete o quadro:

A FRUTA	A ÁRVORE
a laranja	a laranjeira
a banana	
o pêssego	
a pera	
a maçã	a macieira
a jabuticaba	
a goiaba	
o caju	
a uva	a parreira
o figo	a
a manga	
o abacate	
a ameixa	
o coco	
o limão	o limoeiro
o mamão	o mamoeiro

Intervalo

Poeminhas cinéticos

Era um homem bem vestido
Foi beber no botequim
Bebeu muito, bebeu tanto
Que

saiu
de
lá
assim.

As casas passavam em volta
Numa procissão sem fim
As coisas todas rodando

O moço entra apressado
Para ver a namorada
E é da seguinte forma

escada.
a
sobe
ele
Que

Mas lá em cima está o pai
Da pequena que ele adora
E por isso pela escada
Assim
ele
vem
embora.

(Millor Fernandes)

1. Descreva de que forma o homem saiu do botequim. (verso 4)

___

2. Por que as coisas todas estavam rodando? (verso 8)

___

3. Como o moço subiu a escada? (verso 12)

___

4. Como ele desceu a escada? (verso 15)

___

Texto Narrativo

Riquezas do Brasil: o pau-brasil e o açúcar (1)

O Brasil, desde o seu descobrimento, explorou suas riquezas naturais e viveu grandes épocas graças à sua agricultura.

O seu nome, Brasil, ele o deve a um tipo de árvore, o pau-brasil (ou madeira-de-tinta), cuja madeira dava uma tinta vermelha utilizada na indústria têxtil da Europa quinhentista. O Brasil possuía esta árvore em abundância, na Mata Atlântica (litoral do Nordeste até o Sul) e, em virtude disto, ficou sendo conhecido como Terra do Brasil, nome que substituiu Terra de Santa Cruz.

O pau-brasil atraiu a cobiça dos europeus, castelhanos e franceses principalmente.

A exploração sistemática do pau-brasil teve como conseqüência a destruição da Mata Atlântica. A riqueza acabou-se, mas o nome Brasil permaneceu.

A colonização brasileira começou no litoral, inicialmente na região nordestina, principalmente através da lavoura canavieira. Até ser produzida em grande escala no Brasil e comercializada pelos portugueses e holandeses, a cana era um produto raro e exótico. Foi no litoral nordestino que a cana-de-açúcar encontrou as condições ideais para seu cultivo: solo, temperatura, mata da qual se extraíam madeiras para as construções e para a fornalha, cursos d'água que funcionavam como vias de transporte.

O cultivo da cana nos engenhos estabeleceu uma organização social rígida e bem característica. Havia a casa-grande, a residência do senhor de engenho e de sua família. Era uma construção resistente, de onde o senhor de engenho governava a propriedade. O Brasil possui ainda magníficos exemplos destas construções. A capela era o local onde se reuniam as pessoas para as cerimônias religiosas: missas, batizados, casamentos e funerais.

A senzala, a habitação dos escravos, em geral constituía-se numa única peça, onde se amontoavam todos, sem distinção de idade e de sexo. A casa do engenho, local onde se produzia o açúcar, era formada pela moenda, pelas fornalhas e caldeiras e pela casa de purgar (limpar o açúcar).

Os empregados assalariados eram poucos.

Faziam parte da propriedade, ainda, o canavial, as áreas da mata e uma pequena área para a plantação de gêneros como a mandioca, o milho e o feijão.

Os escravos, que viviam nas senzalas, trabalhavam desde o nascer do sol até à noite, tanto no cultivo da cana como na fabricação do açúcar. O negro, na verdade, foi o grande elemento que sustentou a economia açucareira nordestina por mais de 300 anos. O jesuíta Antonil deixou-nos um testemunho de seu trabalho:

"Os escravos são as mãos e os pés do senhor do engenho."

Por causa dessa vida difícil e dura, o negro cometia suicídios e empreendia fugas para a floresta, onde formava os quilombos (aglomerações de negros fugitivos).

A. Responda:

1. Qual a origem do nome *Brasil*?
2. O açúcar sempre foi produto acessível? Explique.
3. Por que o nordeste brasileiro produziu tanta cana-de-açúcar?
4. Explique, em algumas palavras, a organização do engenho (o senhor de engenho, a casa-grande, a senzala, a casa do engenho).
5. Explique a vida do negro escravo no engenho.

Faça agora o Teste 8 do Caderno de Testes.

Unidade 17

Eu também teria desistido . . .

Xavier: – Você tem jogado tênis?
Abreu: – Não. Não tenho ido ao clube ultimamente.
Xavier: – Falta de tempo?
Abreu: – Não, não é bem isso. É que sempre me aborreço quando vou ao clube.
Xavier: – Por quê?
Abreu: – Porque nunca há quadra livre. Na última vez que estive lá, cheguei cedo, mas não adiantou. Todas as quadras já estavam ocupadas. Eu teria jogado se tivesse chegado lá às 7 horas da manhã.
Xavier: – Sério?
Abreu: – Sério. Você se lembra do Reinaldo?
Xavier: – O do jipe amarelo?
Abreu: – É, esse mesmo. Ele sai de casa às 6 horas da manhã para conseguir uma quadra vaga.
Xavier: – É muito sacrifício. Eu também teria desistido.

Tempos Compostos do Indicativo

Perfeito Composto

Eu tenho morado
Ele / Ela / Você → tem morado
Nós temos morado
Eles / Elas / Vocês → têm morado

Mais Que Perfeito Composto

Eu tinha vendido
Ele / Ela / Você → tinha vendido
Nós tínhamos vendido
Eles / Elas / Vocês → tinham vendido

Futuro do Presente Composto

Eu terei aberto
Ele / Ela / Você → terá aberto
Nós teremos aberto
Eles / Elas / Vocês → terão aberto

Futuro do Pretérito Composto

Eu teria partido
Ele / Ela / Você → teria partido
Nós teríamos partido
Eles / Elas / Vocês → teriam partido

Emprego

— Não *tenho ido* ao clube ultimamente.
O *Perfeito Composto* expressa uma ação que se iniciou no passado e continua no presente.
— *Mais-Que-Perfeito Composto* — consulte a unidade 11.
— Quando ele chegar, já *terei saído.*
O *Futuro do Presente Composto* expressa uma ação terminada em algum ponto do futuro.
— Eu também *teria desistido.*
O *Futuro do Pretérito Composto* indica uma ação que poderia ter acontecido no passado.

A. Responda a estas perguntas usando o Perfeito Composto (tenho falado):

1. O que você tem feito ultimamente?

(trabalhar muito) Ultimamente eu ______________________
(ficar em casa) ______________________
(vender terrenos) ______________________
(atender clientes) ______________________
(dormir até tarde) ______________________
(assistir a novelas) ______________________

(descansar) ________________

(ir ao cinema) ________________

(não fazer nada) ________________

(gastar muito dinheiro) ________________

(ganhar muito dinheiro) ________________

(não vir aqui) ________________

2. O que vocês têm feito desde que chegaram?

(só falar em vocês) Desde que chegamos nós ________________

(só escrever cartas) ________________

(ver os amigos) ________________

(abrir a correspondência) ________________

(pôr os pingos nos ii) ________________

(só estar doentes) ________________

(só ter problemas) ________________

(fazer amigos) ________________

(visitar clientes) ________________

(só comer e dormir) ________________

(só fazer planos) ________________

(só ouvir bobagens) ________________

B. Passe para o singular:

1. Ultimamente nós só temos nos aborrecido com vocês.

____

2. Nesses últimos tempos eles só têm reclamado.

____

3. Ultimamente nós temos nos preocupado muito com a fábrica.

____

4. Eles têm-se encontrado com os amigos diariamente.

____

5. Vocês têm-se mostrado bons amigos.

____

C. Perfeito Simples ou Perfeito Composto? (falei — tenho falado)

1. (vir) Ontem nós ________ aqui mas não havia ninguém.
2. (vir) Ultimamente Manoel ________ aqui duas vezes por semana.
3. (perder) Eu ________ muito tempo com você desde que você chegou.
4. (perder) Ele ________ o relógio no cinema.
5. (fazer) Depois que ________ fortuna, ele não trabalhou mais.
6. (fazer) O rapaz está feliz porque ________ bons negócios ultimamente.

D. Complete com o Futuro do Presente Composto (terei falado). Faça a pergunta antes de dar a resposta:

1. Você vai estar livre às 11?
   (terminar o trabalho) Vou. Às onze eu já terei terminado meu trabalho.
2. às 3/falar com o diretor
   ____?
   ____.
3. à noite/escrever todas as cartas
   ____?
   ____.
4. à tarde/ler todos os relatórios
   ____?
   ____.
5. à noitinha/dar a última aula
   ____?
   ____.
6. no fim de semana/estudar tudo para a prova
   ____?
   ____.
7. às 8 e meia/o avião – partir
   ____?
   ____.
8. depois do jantar/ele – ir embora
   ____?
   ____.
9. às 7/meu patrão – fechar a loja
   ____?
   ____.
10. na hora do almoço/a reunião – acabar
   ____?
   ____.

E. Complete com o Futuro do Presente Composto:

1. (conhecer) Até o fim do ano eu ______________ todos os estados brasileiros.
2. (ver) Até o fim do dia nós ______________ todos os documentos.
3. (receber) Até amanhã ele ______________ as informações que pediu.
4. (gastar) Até o dia 15 ela ______________ todo o seu salário.
5. (vir) Até o fim do mês eles ______________ aqui dez vezes.
6. (fazer) Até o fim da semana ela ______________ todo o trabalho.

7. (pôr) Até 2ª feira eu ________________ tudo em ordem.
8. (aprender) Até o fim do curso eles ________________ todos os verbos.
9. (recuperar) Daqui a dois anos nós ________________ nosso capital.
10. (conseguir) Daqui a um ano eu ________________ o que desejo.
11. (ler) Daqui a dois dias eu ________________ o livro todo.
12. (chegar) Amanhã a estas horas ele já ________________ lá.

F. Complete com o Futuro do Pretérito Composto (teria falado):

1. (chegar) Sem você, eu não ________________ até aqui.
2. (ficar) Com aquela invenção, nós ________________ ricos.
3. (ser) Com ela, ele ________________ mais feliz.
4. (fazer) Com mais tempo, eu ________________ um trabalho melhor.
5. (conseguir) Com paciência, Joana ________________ fazê-lo.
6. (abrir) Com medo, eu não ________________ aquela porta.
7. (pôr) Dependendo de mim, ela não ________________ aquele vestido.
8. (convencer) Com diplomacia, você o ________________.
9. (sarar) Com tratamento adequado, Jorge já ________________.
10. (obedecer) Sem ameaças, eles não me ________________.
11. (perder) Sem nossa ajuda, todos vocês ________________ essa oportunidade.
12. (sair) Com chuva, ninguém ________________.
13. (ver) Sem óculos, eu não ________________ nada.
14. (viajar) Com mais dinheiro, nós ________________ mais tempo.
15. (descobrir) Acho que, com jeito, você ________________ a verdade.

G. Responda a estas perguntas:

1. O que você teria feito, há dois anos, com 10 milhões de cruzeiros?
2. Ontem você ficou em casa porque estava chovendo. Mas, com um belo dia de sol, o que você teria feito?
3. O petróleo está causando problemas para o mundo. Com as informações que você tem hoje, o que você teria feito há dez anos atrás?

Contexto

Sua melhor viagem de férias começa em casa

Não tenha medo de sair por este vasto Brasil, não tenha surpresas desagradáveis, não perca tempo com atrações secundárias, não gaste dinheiro em voltas inúteis: planeje sua viagem de férias.
Planejar a viagem é tão importante quanto viajar. Suponha que você tenha entrado em férias e, logo na manhã seguinte, sai a esmo. Como não planejou, no meio do engarrafamento você se descobre acompanhando a multidão que vai sempre ao mesmo lugar, ao mesmo tempo, por uma estrada que não é a melhor.

Cansado e aborrecido, você se hospeda naquele hotel caríssimo de que lhe falou um amigo, para logo descobrir que nem sempre os preços indicam qualidade. E assim, de engano em engano, você volta para casa para descobrir que deixou de aproveitar o melhor da viagem.
Nada do que você leu é exagero. Veja bem: se você tivesse planejado todos os passos da viagem, com certeza não teria tido nenhuma dificuldade. Nos países de melhor infra-estrutura turística, os guias de viagem são sofisticados e detalhados, porque há uma relação direta entre planejar e aproveitar a viagem, válida sobretudo neste país de grandes distâncias. Se não planejar, você não terá tempo para aproveitar as melhores atrações, gastará excessivamente com combustível, e desperdiçará a vantagem única da diversidade de lugares.
Planejando, você poderá optar pelo tipo de praia a seu gosto. Ou talvez prefira uma estância hidromineral com clima de tipo europeu ou a excitação da floresta, do rio caudaloso. É possível que você deixe de conhecer um lugar maravilhoso porque lhe disseram que o acesso era o pior possível e que não havia hotel.
Planejando você saberá que a estrada foi asfaltada e que um hotel foi construído na cidadezinha próxima — mudanças rápidas são freqüentes no turismo brasileiro. É, portanto, fundamental que você se prepare para sua viagem. Assim, quando suas férias tiverem chegado ao fim, você voltará tranqüilo e refeito ao trabalho.

(adaptado de *Quatro Rodas* — outubro de 1980)

A. De acordo com o texto, corrija, se necessário. Justifique a correção.

O texto afirma que:

1) A multidão vai sempre ao mesmo lugar, ao mesmo tempo, por uma estrada que não é a melhor, porque os guias turísticos não são detalhados.
2) No Brasil, aproveitam-se bem as viagens porque este é um país de grandes distâncias.
3) Preço alto não é garantia de qualidade.
4) Saindo a esmo você desperdiçará combustível por causa de voltas inúteis.
5) Ao planejar sua viagem de férias, você tomará conhecimento do que a infra-estrutura turística local pode oferecer-lhe.
6) De engano em engano, você acaba voltando para casa por não estar aproveitando a viagem.

B. Destaque do texto os adjetivos no comparativo e superlativo. Classifique-os:

Comparativos	Superlativos

C. Diga de outra forma:

1. Não tenha medo de sair.

____

2. Não tema surpresas.

____

3. Não perca tempo.

____

4. Não gaste dinheiro.

____

5. Planejem sua viagem.

____

6. Preparem sua viagem com cuidado.

____

D. Explique:

1. atrações secundárias _______________
2. voltas inúteis _______________
3. desperdiçar a vantagem única da diversidade de lugares _______________

____

4. o acesso era o pior possível _______________
5. válida sobretudo neste país de grandes distâncias _______________

____

6. de engano em engano _______________

nenhuma dificuldade = dificuldade alguma

E. Transforme as orações:

1. Você não teve nenhuma dificuldade.

____

2. Ele não convidou nenhum amigo.

____

3. Nós não tivemos nenhuma chance no concurso.

____

4. Meus parentes não me mandaram nenhuma notícia.

____

5. Fiz tudo sem nenhuma ajuda.

____

6. Nenhum sócio teve lucro neste negócio.

____

7. Hoje não atenderei nenhum cliente.

____

8. Nenhum jornal deu a notícia.

____

9. Nenhuma resposta está certa.

____

10. Nenhum plano deu certo.

____

Deixar de

Você deixou de aproveitar o melhor da viagem = Você não aproveitou . . .
Não deixe de assistir ao próximo capítulo = Assista . . .
Ela deixou de trabalhar = Ela parou de trabalhar

F. Continue a conversa usando deixar de em suas orações:

1. Por que ela engordou?
   – Porque deixou de fumar.
2. Por que agora você tem mais tempo livre?
   – Porque _______________
3. Ela não fala mais em Mário. Por quê?
   – _______________
4. Será que preciso mesmo falar com o diretor?
   – Lógico! _______________
5. Ela perdeu tudo mas continua com boa aparência.
   – _______________
6. Joana ainda trabalha aqui?
   – Não, _______________
7. Acho que vai chover. Levo o guarda-chuva?
   – Claro! _______________
8. Antônio viajou por toda a Europa?
   – Não, _______________
9. João não é mais seu aluno?
   – Não, _______________
10. Por que as samambaias morreram?
   – _______________

Tempos Compostos do Subjuntivo

Perfeito

Que eu	tenha morado
Que ele / Que ela / Que você	tenha morado
Que nós	tenhamos morado
Que eles / Que elas / Que vocês	tenham morado

Mais-Que-Perfeito

Se eu	tivesse morado
Se ele / Se ela / Se você	tivesse morado
Se nós	tivéssemos morado
Se eles / Se elas / Se vocês	tivessem morado

Futuro Composto

Quando eu	tiver morado
Quando ele / Quando ela / Quando você	tiver morado
Quando nós	tivermos morado
Quando eles / Quando elas / Quando vocês	tiverem morado

Emprego

Os tempos compostos do subjuntivo indicam ações terminadas. Eles são usados nas mesmas condições dos tempos simples do subjuntivo. Exs.:

Duvido que ele *tenha vendido* a casa.
Duvidei que ele *tivesse vendido* a casa.
Ele comprará uma fazenda quando *tiver vendido* suas ações.

A Complete com o Perfeito do Subjuntivo (tenha falado):

1. (acabar) Espero que a reunião da diretoria já ____________.
2. (perder) Não é possível que ele ____________ todos aqueles documentos.
3. (mentir) Receio que eles ____________ para o juiz.
4. (tomar) Vou conversar com ele mesmo que ele já ____________ ____________ uma decisão.
5. (chegar) Tomara que eles ____________ em tempo.
6. (pagar) Não estamos certos de que ele ____________ a conta.
7. (vir) Talvez Suzana ____________ aqui quando estávamos fora.

8. (ser) Sinto que Sílvia ______________________ impaciente.
9. (vender) É pena que a gente ______________________ as ações na hora errada.
10. (esconder) Duvido que ela ______________________ as jóias no cofre.
11. (ver) Duvidamos que Cecília ______________________ o que aconteceu.
12. (aproveitar) É possível que a gente não ______________________ bem a chance.
13. (pegar) Lamento que a polícia não ______________________ o ladrão ontem.
14. (poder) Que pena que você não ______________________ vir ontem.
15. (tomar) Ficarei aqui até que nós ______________________ uma decisão.
16. (fazer) Receio que eles não ______________________ nada direito.
17. (desistir) Embora ele já ______________________ de estudar, continua indo à escola.
18. (levar) Oh! Meu Deus! Espero que o ladrão não ______________________ meus documentos.
19. (ofender) Receio que nós o ______________________. É agora?

B. Complete com o Mais-Que-Perfeito do Subjuntivo (tivesse falado):

1. (vir) Foi bom que vocês ______________________ à festa.
2. (ir) Pensei que eles ______________________ de ônibus.
3. (escrever) Nós todos duvidamos que você ______________________ aquela carta.
4. (dizer) Lamentei que vocês ______________________ aquilo.
5. (ficar/convidar) Talvez eles ______________________ contentes se a gente os ______________________.
6. (insistir) Embora o vendedor ______________________ muito, não conseguiu convencer o freguês.
7. (ver) Se eu não ______________________ com meus olhos, não teria acreditado.
8. (chegar) Pensei que vocês ______________________ às 7.
9. (desistir) Embora ela já ______________________ da idéia, continuou insistindo.
10. (comprar) Se Hugo ______________________ aquela fazenda, teria feito um bom negócio. Mas não comprou . . .

C. Desenvolva a parte sublinhada da sentença, usando o Mais-Que-Perfeito do Subjuntivo:

1. Com tempo, eu o teria convencido.
   Se eu tivesse tido tempo, eu o teria convencido.
2. Falando com ele, a gente teria resolvido o problema.
   Se a gente ______________________

3. De avião, você já estaria lá.

____

4. Sem autorização, não teríamos entrado.

____

5. Com chuva, o pique-nique teria sido um fracasso.

____

6. Com jeito, teríamos conseguido um desconto.

____

7. Com sol, a gente teria ido ao clube.

____

8. Com um bom xarope, ele já teria acabado com esta tosse.

____

9. Sem sua ajuda, eu não teria feito o que fiz.

____

10. Dependendo de nós, tudo teria sido diferente.

____

D. Complete com o Futuro Composto do Subjuntivo (tiver falado):

1. (acabar) Quando os alunos ______________ os exercícios, poderão sair.
2. (acabar) Enquanto vocês não ______________ de fazer os exercícios, não poderão sair.
3. (ganhar) Se nós ______________ muito dinheiro com este negócio, iremos à Europa.
4. (seguir) Se eu ______________ direito as instruções, a experiência dará certo.
5. (fazer) Logo que a secretária ______________ a relação dos compradores, telefonaremos a eles.
6. (escrever) Assim que nós ______________ a nossos amigos, poderemos ficar mais tranqüilos.
7. (pôr) Ela voltará para casa, depois que ______________ a carta no correio.
8. (fazer) Não ficaremos sossegados enquanto não ______________ o trabalho.
9. (consertar) O barulho vai continuar se não ______________ o aparelho de ar condicionado.
10. (fechar) A sala estará cheia de poeira se ela não ______________ a janela.
11. (consultar) Eles não acharão o caminho de nossa casa se não ______________ o guia da cidade.

12. (gostar) Estes clientes farão uma compra grande se ________________ ________________ dos nossos artigos.
13. (ver) Estes clientes não farão o pedido se não ________________ ________________ o catálogo.
14. (conhecer) Não voltaremos para casa enquanto não ________________ ________________ todo o Sul do país.
15. (conhecer) Só voltaremos para casa quando ________________ ________________ todo o Sul do país.

E. Complete com o Mais-Que-Perfeito do Subjuntivo (tivesse falado) ou com o Futuro Composto do Subjuntivo (tiver falado):

Ao telefone

(terminar) Daniel, assim que eu ________________ meu trabalho, passarei em sua casa. Não sabia que você viajaria amanhã de manhã.

(saber) Se ________________ antes, teria ido vê-lo mais cedo. Mas acho que há tempo ainda. Enquanto não

(fazer) ________________ o meu relatório, não poderei

(concluir) sair do escritório. Mas, assim que eu ________________ tudo, estarei mais tranqüilo para conversarmos. Eu teria

(ter) comprado um bom vinho para esta noite, se ________________ ________________ tempo. Não faz mal. Fica para outra vez. Até já.

F. Desenvolva a oração dependente usando o Futuro Composto do Subjuntivo (tiver falado):

1. Lido o livro, vocês farão um resumo.
   Quando vocês tiverem lido o livro, farão um resumo.
2. Escrita a carta, eu a mandarei.
   Quando eu tiver ________________
3. Feitas as compras, poderemos ir para casa.
   Quando nós ________________
4. Feitas as contas, você verá que nosso lucro é pequeno.
   Quando ________________
5. Acabada a reunião, a gente irá embora.
   ____
6. Compradas as passagens, poderemos tomar o trem.
   ____
7. Feitos os cálculos, poderemos dar nosso preço.
   ____

8. Posta a mesa, poderemos almoçar.
____

9. Atendido o último cliente, o dentista fechará o consultório.
____

10. Terminados os exames, terei tempo para viajar.
____

G. Repita o exercício F oralmente. Ao invés de quando, use depois que ou assim que.

H. Complete as orações com tempos compostos do subjuntivo (tenha falado, tivesse falado, tiver falado):

1. (insistir) Eu não teria vindo *se você não tivesse insistido.*
2. (acabar) Quando ____________________, falarei com ele.
3. (receber) Embora não ____________________, fiquei contente.
4. (conseguir) Embora ____________________, não vou desistir.
5. (insistir) Mesmo que ____________________, não teria conseguido nada.
6. (chegar) Tomara que ____________________.
7. (concluir) Volte para casa assim que ____________________.
8. (fazer) Embora ____________________, ninguém se lembra dele.
9. (sentar) Embora ____________________, ninguém a reconheceu.
10. (distribuir) Quando ____________________, irei embora.
11. (ver) É possível que ____________________.
12. (receber) Telefone-me quando ____________________.
13. (entender) Embora já ____________________, ela continua fazendo perguntas.
14. (perder) Sinto que ____________________.

I. Complete os quadros

1. cantar	cantor
2. escrever	escritor
3. traduzir	
4. pintar	
5. inventar	
6. esculpir	
7. administrar	
8. dirigir	

9. cobrar	
10. comprar	
11. vender	
12. pagar	
13. ganhar	
14. perder	

1. cabelo	cabeleireiro
2. leite	leiteiro
3. carta	
4. banco	
5. jornal	
6. fazenda	
7. pedra	

8. sapato	
9. cozinha	
10. costurar	
11. hotel	
12. porta	

1. jornal	jornalista	6. violão	
2. dente		7. arte	
3. tênis		8. massagem	
4. piano		9. motor	
5. violino		10. samba	

Intervalo (as músicas encontram-se gravadas em fita)

Ronda

(Paulo Vanzolini)

De noite eu rondo a cidade
a lhe procurar
sem encontrar
No meio de olhares espio
Em todos os bares
Você não está.
Volto pra casa abatida,
desencantada da vida,
O sonho alegria me dá,
Nele você está.
Oh! se eu tivesse
Quem bem me quisesse,
Esse alguém me diria:
"Desiste, essa busca é inútil",
Eu não desistia
Porém, com perfeita paciência
Sigo a te buscar
Hei de encontrar
Bebendo com outras mulheres,
Rolando um dadinho,
Jogando bilhar.

E nesse dia, então,
Vai dar na primeira edição,
"Cena de sangue num bar
Da avenida São João."

Quem te viu, quem te vê

(Chico Buarque)

Você era a mais bonita
Das cabrochas desta ala,
Você era a favorita
Onde eu era mestre-sala,
Hoje a gente nem se fala,
Mas a festa continua,
Suas noites são de gala,
Nosso samba ainda é na rua

Hoje o samba saiu, lá lá ra lá
Procurando você
Quem te viu, quem te vê,
Quem não a conhece
Não pode mais ver prá crer,
Quem jamais a esquece,
Não pode reconhecer.

Quando o samba começava
Você era a mais brilhante,
E se a gente se cansava
Você só seguia adiante,
Hoje a gente anda distante
Do calor do seu gingado,
Você só dá chá dançante
Onde eu não sou convidado.

Hoje o samba saiu . . .

O meu samba se marcava
Na cadência dos seus passos
O meu sono se embalava
No carinho dos seus braços
Hoje de teimoso eu passo
Bem em frente ao seu portão
Pra lembrar que sobra espaço
No barraco e no cordão

Hoje o samba saiu . . .

Todo ano eu lhe fazia
Uma cabrocha de alta classe
Que de dourado eu vestia
Pra que o povo admirasse,
Eu não sei bem com certeza
Porque foi que um belo dia
Quem brincava de princesa
Acostumou na fantasia

Hoje o samba saiu . . .

Hoje eu vou sambar na pista
Você vai de galeria
Quero que você assista
Na mais fina companhia
Se você sentir saudade,
Por favor não dê na vista,
Bate palmas com vontade,
Faz de conta que é turista

Hoje o samba saiu . . .

(Ouça a fita e cante com a música.)

Garota de Ipanema

(Vinícius de Moraes – Tom Jobim)

Olha que coisa mais linda
Mais cheia de graça
É ela a menina que vem e que passa
No doce balanço a caminho do mar

Moça do corpo dourado
Do sol de Ipanema
O seu balançado
É mais que um poema
É a coisa mais linda que eu já vi passar

Ah! Porque estou tão sozinho
Ah! Porque tudo é tão triste
Ah! A beleza que existe
A beleza que não é só minha
Que também passa sozinha

Ah! Se ela soubesse
que quando ela passa
O mundo inteirinho
Se enche de graça
e fica mais lindo por causa do amor.

A. Responda:

Ronda

1. Quem a moça procura todas as noites? Onde?
2. Ela imagina uma cena futura. Descreva-a.
3. O que ela quer dizer com "cena de sangue"?
4. Explique: "vai dar na primeira edição".

Quem te viu, quem te vê

1. Explique o título da canção.
2. Destaque do texto referências à escola de samba. Explique-as, se puder.

Garota de Ipanema

1. Baseando-se na letra, como você imagina a Garota de Ipanema?
2. A garota passa. Que efeito causa a sua passagem?
3. Preste atenção ao ritmo da música. O que é que ele lembra?

Texto Narrativo

Riquezas do Brasil: o café (2)

O café

Em meados do século passado, quando o país já havia sofrido a decadência dos engenhos do norte e da mineração do ouro em Minas, surgiu, na região sudeste, a cultura do café, que iria ser uma fonte de riqueza tão grande ou maior do que as que a precederam. Iniciando sua marcha no Rio de Janeiro, a cultura cafeeira chegou a São Paulo através do Vale do Paraíba, dando origem a diversas cidades como Pindamonhangaba, Taubaté, Guaratinguetá, São José dos Campos. Mais tarde, com a descoberta da terra-roxa*, fertilíssima, no sertão paulista, a marcha tomou este rumo, acelerando a decadência do Vale, que já apresentava terras cansadas. Este sertão cobriu-se de fazendas, apareceram as estradas de ferro e cidades como Campinas e Ribeirão Preto cresceram atropeladamente. Até então a mão-de-obra era escrava, mas, à medida que evoluía o processo da abolição da escravatura, era preciso substituí-la e aumentá-la porque a cultura abundante do café assim o exigia. Era necessária a imigração e ela veio. Os italianos, "os colonos", invadiram São Paulo com suas tradições, costumes e língua, introduzindo novos hábitos na vida dos paulistas.

---

* Terra de cor vermelha, em italiano "terra rossa".
Daí veio a expressão deturpada em português, terra-roxa.

O café fez nascer uma nova "aristocracia" – a dos "barões do café", constituída de grandes fazendeiros, brasileiros, do Vale do Paraíba, que acumularam fortunas fabulosas e viviam como verdadeiros nobres abastados.
Com a riqueza trazida pelo café, São Paulo, cidade provinciana, acanhada, começou a transformar-se, abrindo novas ruas, avenidas e bairros, por onde corria muito dinheiro.
Uma avenida tornou-se o símbolo de toda esta riqueza, a Avenida Paulista, com suas mansões e palacetes – as residências dos "barões". Hoje estas residências cederam lugar a imensos edifícios, muitos deles sedes de bancos, que continuam, por assim dizer, símbolos de poder e riqueza.

A. Responda:

1. Qual a importância do Vale do Paraíba?
2. Qual a importância da "terra-roxa"?
3. Por que a abolição da mão-de-obra escrava, não abalou a cultura do café?
4. Quais foram os primeiros imigrantes a chegar a São Paulo? Sua adaptação na nova terra foi fácil?
5. Quem eram os "barões do café"?
6. Diga o que sabe sobre as residências dos "barões".
7. Qual a conseqüência da cultura do café na cidade de São Paulo?
8. Como surgiu a avenida Paulista?
9. Qual é a visão, hoje, da avenida Paulista?
10. Por que o café trouxe mudanças sociais e econômicas significativas?

Ditado: Veja observação da pág. 9.

Unidade 18

Como? Fale mais alto!

Beatriz: — Então ele me perguntou:
— Você quer sair comigo à noite?

Cecília: — Não consigo ouvi-la, Beatriz. Fale mais alto.

Beatriz: — Então ele me perguntou se eu queria sair com ele à noite.

Cecília: — E o que foi que você respondeu?

Beatriz: — Eu lhe respondi:
— Sinto muito, mas não dá.

Cecília: — O que foi que você lhe respondeu, Beatriz?

Beatriz: — O telefone está uma droga. Eu lhe respondi que sentia muito, mas não dava.

Cecília: — E daí?

Beatriz: — Eu lhe expliquei:
— É que fui convidada para uma festa e não posso deixar de ir.

Cecília: — Como? Fale mais alto.

Beatriz: — Eu lhe disse que tinha sido convidada para uma festa e não podia deixar de ir.

Cecília: — E era verdade?

Beatriz: — Não. Depois fiquei com pena dele e lhe disse:
— Não me leve a mal. Telefone-me um dia desses.

Cecília: — Como?

Beatriz: — Eu lhe disse para não me levar a mal e telefonar-me um dia qualquer.

Cecília: — E agora?

Beatriz: — Agora estou sozinha aqui em casa, sentada ao lado do telefone, à espera de que ele se lembre de mim. Sou mesmo uma boba, Cecília!

Discurso Indireto

Discurso direto

— Você { vai / irá } comigo ao cinema? { pergunta Daniel / perguntou }

— Não posso, responde Cristina.

Discurso Indireto

1) Daniel pergunta à Cristina se ela { vai / irá } com ele ao cinema.

Ela diz (responde) que não pode.

2) Daniel perguntou à Cristina se ela iria com ele ao cinema. Ela disse (respondeu) que não podia.

Situações

1) Declarações

Ela diz:

— Eu não posso.

Ela *diz* que não *pode*.

Ela disse:

— Eu não { posso / poderei }

Ela *disse* que não { *podia* / *poderia* }

Ela disse:

— Eu não pude fazer nada.

Ela *disse* que não *tinha podido* fazer nada.

2) Interrogações

Ele pergunta:

— Você vai comigo?

Ele *pergunta* se ela *vai* com ele.

Ele perguntou:

— Você { vai / irá } comigo?

Ele perguntou se ela { ia / iria } com ele.

3) Ordens

Ele me diz:

— Faça o trabalho.

Ele me *diz* para *fazer* o trabalho.

Ele me disse:

— Faça o trabalho.

Ele me *disse* para *fazer* o trabalho.

A. Passe para o discurso indireto:

1. "Não vamos sair hoje."
   Eles dizem que não vão sair.
   Eles disseram que não iam sair.
2. "Nós vamos assistir à televisão hoje."
   Eles dizem ______
   Eles disseram ______
3. A meteorologia anuncia: – "Hoje vai chover".
   ______
   ______
4. "Não tenho mais jornal", disse o jornaleiro.
   ______
   ______
5. "Não estou entendendo", diz o aluno.
   ______
   ______
6. "Você fez tudo errado", diz o meu chefe.
   ______
   ______
7. "Vocês fizeram tudo errado", diz o nosso chefe.
   ______
   ______
8. "Eu vi seu irmão no cinema", disse-me João.
   ______
   ______
9. "Amanhã vocês farão tudo de novo", diz nosso professor.
   ______
   ______
10. Ela avisa: "Isso não vai dar certo".
    ______
    ______

B. Passe para o discurso indireto:

1. "Você quer sair comigo? ", perguntou ele.
   Ele perguntou se eu queria sair com ele.
2. "Podemos esperar aqui fora? ", perguntaram os candi
   ______
3. "Quanto custou o conserto da máquina? ", quis saber o marido.
   ______
4. "Onde o senhor mora? ", perguntou-me o funcionário.
   ______

5. Meu filho perguntou: "A gente vai a pé até lá?"

6. A balconista perguntou-me: "O que mais a senhora deseja?"

7. Mariana perguntou-nos: "Vocês viram meu guarda-chuva?"

8. A moça quis saber: "O que André fará agora?"

9. O guia perguntou aos turistas: "Vocês já estiveram aqui antes?"

10. O barbeiro perguntou: "De quem é a vez?"

C. Passe para o discurso indireto:

1. A mãe disse para o menino: "Tire o cotovelo da mesa."

2. O dentista falou para a mocinha: "Fique quieta e não feche a boca."

3. A mãe disse para o menino: "Seja mais amigo do Luís".

4. O diretor pediu-me: "Traga-me a correspondência depois".

5. Carolina disse-me: "Esteja aqui às 5 horas".

6. Luísa aconselhou-me: "Tenha paciência".

7. Eu disse à Teresa: "Não ponha os documentos na pasta".

8. Otávio disse para Geraldo: "Não perca as esperanças".

9. Carlos disse para Cristina: "Não venha muito tarde".

10. João chamou a mulher: "Veja o que fiz".

D. Leia o diálogo:

O capitão Rodrigo, tomando seu terceiro copo disse:
— Pois garanto que estou gostando deste lugar. Quando entrei em Santa Fé, pensei cá comigo:

Capitão, pode ser que você só passe aqui uma noite, mas também pode ser que passe o resto da vida . . .
Um cheiro de linguiça frita espalhava-se no ar.
Rodrigo sorriu e começou a bater com a mão no balcão:
– Como é, amigo Nicolau, essa linguiça vem ou não vem?
Do fundo da casa, o vendeiro respondeu:
– Tenha paciência, patrão.

(Um Certo Capitão Rodrigo)

E. Agora passe o diálogo para o discurso indireto:

Voz passiva

I – Eu fui convidada para uma festa.

Formação

Forma-se a voz passiva com o verbo auxiliar *ser*, conjugado em todas as suas formas, seguido do particípio do verbo principal. Este particípio concorda em gênero e número com o sujeito.

Voz ativa

– Todo mundo *lê* este jornal.
– Todo mundo *lia* este jornal.
– Todo mundo *leu* esta notícia.
– Todo mundo *lerá* esta notícia.
– Todo mundo *leria* esta notícia.
– Todo mundo *está lendo* estes artigos.
– Todo mundo *estava lendo* estes artigos.
– Todo mundo *tem lido* estes artigos.
– Todo mundo *tinha lido* estas cartas.
– Quero que os alunos *leiam* este livro.
– Eu quis que meus amigos *lessem* este livro.
– Vocês entenderão tudo quando *lerem* estas cartas.

Voz passiva

Este jornal *é lido* por todo mundo.
Este jornal *era lido* por todo mundo.
Esta notícia *foi lida* por todo mundo.
Esta notícia *será lida* por todo mundo.
Esta notícia *seria lida* por todo mundo.
Estes artigos *estão sendo lidos* por todo o mundo.
Estes artigos *estavam sendo lidos* por todo mundo.
Estes artigos *têm sido lidos* por todo mundo.
Estas cartas *tinham sido lidas* por todo mundo.
Quero que este livro *seja lido* pelos alunos.
Eu quis que este livro *fosse lido* pelos meus amigos.
Vocês entenderão tudo quando estas cartas *forem lidas.*

Observação: O agente da passiva pode ou não aparecer.
Ex.: Os homens demoliram a casa.
Ex.: A casa foi demolida.

A. Passe para a voz passiva:

1. Ela ouve este programa. ______
2. Ele paga suas contas em dia. ______
3. Nós pomos as chaves na gaveta. ______
4. Nós pusemos os papéis no armário. ______
5. Nós considerávamos João nosso melhor amigo.
______
6. O Presidente não dava entrevistas. ______
7. Escreveremos a carta amanhã. ______
8. Farei o possível. ______
9. Até agora não recebemos nenhuma notícia.
______
10. Não cobrei as horas extras. ______
11. Ninguém entenderia o problema. O problema não ______
12. Ninguém o ajudaria. ______
13. Você tem visto os rapazes? ______
14. A polícia tem procurado o ladrão. ______
15. Ela já tinha terminado as tarefas. ______
16. Nós já tínhamos visto o Artur antes. ______
17. Quero que vocês respondam às minhas perguntas.
______
18. Exigimos que eles entreguem os relatórios.
______
19. Lamentei que ele não entendesse minhas palavras.
______

20. Pedi que o professor desse uma explicação.

____

21. Ficarei contente se um dia alguém der uma explicação.

____

22. Quando a polícia prender o ladrão, teremos sossego.

____

23. Nós o respeitamos muito. _______________

24. Eu tenho comprado bilhetes de loteria.

____

25. Direi tudo agora. _______________

26. Ele consertaria este carro em dois minutos.

____

27. Eu ainda não tinha feito a última prova.

____

28. As secretárias guardam os documentos nos arquivos.

____

29. Duvido que você faça tudo. _______________

30. Os amigos levaram-no para casa. _______________

31. Amanhã trarei as encomendas. _______________

32. Dê um recibo, quando ele trouxer o pacote.

____

II – Voz passiva com verbos auxiliares:

poder, precisar, dever, ter de, ter que

– Não *podemos comprar* esta casa. – Esta casa não pode *ser comprada*.

– Eu *devo pagar* as contas hoje. As contas *devem ser pagas* hoje.

– Eu *preciso dizer* a verdade. – A verdade *precisa ser dita*.

– Eu *tenho de resolver* o problema. – O problema *tem de ser resolvido*.

B. Passe para a voz passiva:

1. Sinto muito. Nada pude fazer. _______________
2. Vocês tem de recebê-lo bem. _______________
3. Não devemos enganar estas crianças.

____

4. Precisamos fazer o trabalho rapidamente.

____

5. O povo deve proteger as árvores. _______________
6. Pintaremos o escritório amanhã. _______________
7. Tomara que ele leia o bilhete. _______________

8. Você deve trancar a porta. ____________________

9. Talvez ele pudesse explicar o acidente.

____

10. Não quero que você assine o contrato.

____

C. Complete este aviso. Use sempre a voz passiva.

Aviso aos comerciantes

Comunicamos aos Senhores Acionistas que o Capital

aumentar-perf. Social de nossa firma ____________.

entregar-fut. Os certificados de ações ____________

a partir do dia 25 do mês corrente. O acionista subscritor deverá apresentar-se em sua agência bancária com documento de identidade. Mais informações

obter-inf. poderão ____________ em nossa sede.

São Paulo, novembro de 1980

A Diretoria

D. Complete com o tempo adequado. Use a voz passiva:

1. (convidar) Ontem ele ____________ para um almoço.
2. (vender) No ano que vem todo o nosso estoque ____________.
3. (fazer) Este contrato ____________ há dois anos.
4. (receber) Ele não ____________ pelo diretor se não fosse amigo dele.
5. (aumentar) Nossos salários ____________ uma vez por ano.
6. (fazer) Quando eu era criança, todos os meus brinquedos ____________ de madeira.
7. (dar) Ouça! A notícia ____________ agora.
8. (fazer) Que pena que descontos não ____________.
9. (sacudir) Ontem à noite a cidade ____________ por um terremoto.
10. (informar) Escreva-me logo que ____________.
11. (avisar) Ele me disse que já sabia de tudo. Ele ____________ por Eduardo um dia antes.
12. (pôr) No momento em que cheguei, a mesa ____________ para o jantar.
13. (ver) Ultimamente o Jorge ____________ por aqui.

14. (resolver) Se o problema ______________ ontem, não teríamos dor-de-cabeça agora.
15. (dar) Quando a notícia ______________, estaremos longe daqui.

III – Voz passiva com se

Formação

Usa-se a 3.ª pessoa verbal, singular ou plural, concordando com o sujeito, mais a partícula *se*.

Vende-se um apartamento = (Um apartamento é vendido)
Vendem-se casas = (Casas são vendidas)

E. Substitua pela voz passiva com se:

1. Uma casa é alugada na praia. ______________
2. Motoristas são admitidos. ______________
3. Informação é dada. ______________
4. Informações são dadas. ______________
5. Uma datilógrafa é procurada. ______________
6. Duas salas são alugadas. ______________
7. Um cão foi perdido. ______________
8. Todos os documentos foram perdidos. ______________
9. Silêncio é pedido. ______________
10. Português é falado aqui. ______________
11. Cartas são mandadas pelo Correio. ______________
12. Móveis são consertados. ______________
13. Os clientes são atendidos às 7 horas. ______________
14. Português foi ensinado. ______________
15. Daqui tudo foi visto. ______________

F. Sublinhe o verbo na oração e classifique-o no quadro ao lado, como se pede:

	voz ativa	voz passiva	modo e tempo
1. Nesta cidade vêem-se muitas casas antigas		X	Ind. presente
2. Todos tinham lido a notícia			
3. Calculara-se o custo da obra.			
4. A Prefeitura teria desapropriado toda esta rua.			

	voz ativa	voz passiva	modo e tempo
5. Do trem, avistavam-se as árvores da cidade.			
6. Plantou-se café em todo o estado de São Paulo.			
7. Aceitaram-me como representante da classe.			
8. Ele se vestiu rapidamente.			
9. Necessita-se de muita mão-de-obra para a colheita do café.			
10. Observem-se as normas de trânsito.			
11. Todos os aparelhos tinham sido desligados.			
12. Talvez ela não tenha entendido.			

G. Tomando a palavra televisão como centro de ação, faça uma série de orações, nas vozes ativa e passiva, empregando os seguintes verbos: comprar, ver, vender, ligar, desligar, consertar, trocar, regular.

Exemplo: Ontem, o técnico consertou nossa televisão.
Esta televisão foi comprada com garantia de um ano.

Faça outras orações com as palavras: *livro* (ler, escrever, comprar, emprestar, vender, publicar, guardar, perder, dar, criticar, etc.) e *casa* (comprar, alugar, vender, pintar, reformar, aumentar, construir, decorar, etc.)

H. Passe da voz passiva para a voz ativa:

1. As condições propostas foram aceitas por todos os presentes.

___

___

2. Fomos acolhidos carinhosamente por eles, na festa.

___

___

3. O trabalho será feito por um grupo de especialistas.

___

___

4. A situação seria considerada pelo chefe do departamento.

___

___

5. A notícia tinha sido publicada em todos os jornais.

___

6. Todos os candidatos poderão ser aceitos.

7. Não fomos vistos por ninguém.

8. Ela foi confundida com uma grande atriz.

9. Você será orientado por qualquer pessoa daqui.

10. Muitos livros foram vendidos ontem.

11. Iniciou-se a reunião com muito atraso.

12. Vendem-se estas lojas.

13. Encerraram-se as inscrições ontem à tarde.

14. Depois da festa, recolheu-se todo o material jogado no chão.

15. Naquele dia entrevistar-se-iam os últimos candidatos.

Contexto – Divertimento

Queridos netos,

É bom vocês tomarem o primeiro avião e virem direto para esta rua já conhecida dos dois. Se deixarem as férias para dezembro, a situação não será a mesma. No momento, posso oferecer-lhes uma atração ímpar: a longa e profunda escavação no eixo da rua, para colocação de novo encanamento. Vocês já perderam a fase da abertura do buraco, que é bem boa. Gente de ouvido melindroso não aprecia, mas ver o asfalto rachado sob o impacto da perfuratriz é uma beleza que não tive quando menino. O ar treme, as mãos do operador tremem no comando; se facilita, o pé dele some na brincadeira; mas não acontece nada.
Bem, enquanto a cova se abria, tubos de largo diâmetro foram dispostos de cada lado da rua, e aí está outra diversão sadia e popular, de que vocês estão

se privando. Sabem o que é tubo largado na via pública, meninos apartamentizados? Acontece cada cinco anos, na melhor hipótese. Os garotos vão chegando, apostando corrida por cima, ou se introduzindo no bojo escuro. Lá dentro se pode imaginar uma cabana, um subterrâneo; mede uns quatro metros, é uma galeria decente. O brinquedo similar dos *play-grounds*, todo pintado e catita, não tem esse rude encanto. Com um tubo, organizam-se excelentes caçadas no Araguaia, perseguições a bandidos e outras emoções fortes; quando não, serve simplesmente para a gente se esconder e sujar bem a roupa, o que, nessa idade, também serve.

Mas o gostoso mesmo é a longa vala no centro, aliás aberta com a colaboração da gurizada, que funciona das 11 às 12 (hora de almoço dos operários) e das 16 em diante. Há meninos que tapam em vez de abrir, outros abrem e tapam, outros destapam e outros contemplam, deslumbrados. Brinquedo de terra na rua? Nunca ouviram falar disso. Não é bem de terra, mas de areia, porque, como vocês sabem, esta rua é quase marítima; porém o prazer é igual; ninguém se farta de admirar a rua devolvida a usos infantis, livre de automóveis, revolvida e alegre. São pulos, empurrões, quedas, pás, gritos, engenharias, que sei eu? Os meninos somem lá dentro, voltam sujos e felizes.

A feira, meus caros, continua a funcionar uma vez por semana, no meio da bagunça. Só que as barracas se armam na calçada, rente às casas, e como a nossa é baixa, o barraqueiro nos joga as mangas e bananas do lado de fora, e nós de dentro lhe jogamos o dinheiro, o que aumenta o prazer da rua desmanchada. É isso. Desmancharam a rua, e as crianças, de instinto, viram que era para elas.

Não demorem, meus netinhos, porque na quadra anterior já botaram os canos e se tapou o buraco. A turma do asfalto aproxima-se. Teremos essa felicidade pública até dezembro? Um amigo passou por aqui e perguntou: "Mas onde estão os meninos desta casa? Telegrafe a eles que venham. O buraco está fechando, mas eu vou acompanhá-lo pelas ruas próximas, e direi onde é que eles podem encontrá-lo."

Eu, que sempre escrevi contra buracos, rendo-me a este. Não há melhor divertimento para crianças. Nem para adultos, se não fôssemos uns bocós envergonhados. Venham, malandros!

(Carlos Drummond de Andrade)

A. Responda:

1. A mudança do encanamento de uma rua é feita em três fases principais. Quais são elas?
2. A quem desagrada a primeira fase?
3. A rua em obra está livre de automóveis. Qual a importância deste fato?

B. Certo ou errado?

1. Os meninos, netos do autor, já estiveram na casa do avô antes. ________
2. Dezembro está relativamente longe. ________
3. Na rua em obras, as crianças brincam na vala do centro enquanto os operários trabalham. ________
4. A feira continua, só que as barracas são armadas na rua. ________
5. Primeiro abriu-se o buraco na rua, depois chegaram tubos de largo diâmetro. ________
6. Os operários cavaram um buraco que serve de cabana ou subterrâneo para as crianças. ________
7. As crianças, na verdade, brincam na areia. ________

C. Explique:

1. atração ímpar ________
2. Se o operário facilita, o pé dele some na brincadeira. ________
____
3. meninos apartamentizados ________
4. esta rua é quase marítima ________
5. a rua devolvida a usos infantis ________
____
6. pulos, empurrões, quedas, pás, gritos, *engenharias* ________
7. rua desmanchada ________

D. Encontre no texto a palavra ou expressão equivalente a:

1. confusão, desordem ________
2. criançada ________
3. ninguém se cansa de ________
4. o buraco foi aberto com a ajuda das crianças ________
5. bobos e tímidos ________
6. as crianças desaparecem dentro dos tubos ________

E. Diga de outro modo:

1. É bom vocês tomarem o primeiro avião. É bom que ________
2. *É bom virem* direto para cá. ________
3. É bom virem *direto* para cá. ________

4. As crianças, *de instinto*, viram que era para elas. ______________________

____

5. A feira funciona *uma vez por semana*. ______________________

6. Telegrafe a ele *que venha*. ______________________

F. Dê a outra forma da voz passiva:

1. Já se tapou o buraco. ______________________
2. Tubos foram dispostos de cada lado da rua. ______________________

____

3. Organizam-se caçadas. ______________________
4. As barracas se armam na calçada. ______________________

G. Imagine que a cena narrada pelo avô se passa sob sua janela e que o barulho das obras e da criançada o irrita profundamente. Descreva, em poucas linhas, a cena e a sua reação diante dela.

Infinitivo Pessoal

Formação

Forma-se o infinitivo pessoal a partir do infinitivo impessoal.
Ele é regular para todos os verbos.

MORAR

Morar eu
Morar — ele / ela / você
Morarmos nós
Morarem — eles / elas / vocês

ATENDER

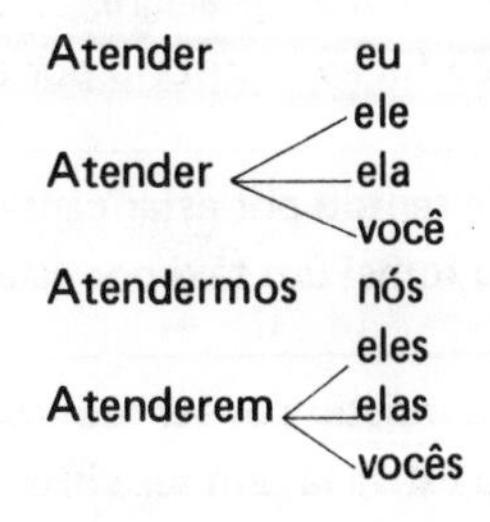

PARTIR

PÔR

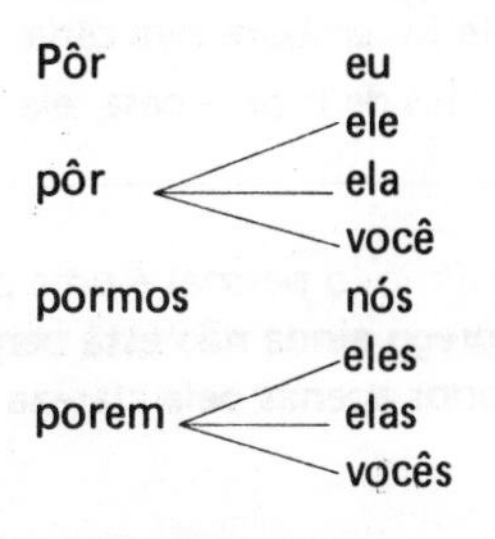

Emprego*:
De modo geral, emprega-se o infinitivo pessoal para tornar mais clara a oração:

1. Quando o sujeito da oração principal e o sujeito do infinitivo são diferentes: Ela pediu para *esperarmos*.
2. Por simples questão de harmonia: Fomos embora por *estarmos* cansados.

A. Passe as sentenças para o plural:

1. Ela pediu para eu ficar. *Elas pediram para nós ficarmos.*
2. Ele insistiu para o irmão ficar. ____________________
3. Ele disse para você telefonar. ____________________
4. Eu pedi para ele chegar logo. ____________________
5. Ela sempre pede para eu ajudar. ____________________
6. O professor pediu para o aluno ficar quieto. ____________________
____
7. Ela explicou de novo para ele compreender. ____________________
____
8. A menina deu a boneca para eu guardar. ____________________
____
9. O ônibus parou para o passageiro descer. ____________________
____
10. O carro parou para eu passar. ____________________
11. Ele deu a festa para se despedir. ____________________
12. Ela chorou por estar triste. ____________________
13. Eu ri por estar alegre. ____________________
14. Não fui ao escritório por estar resfriado. ____________________
____
15. Ele sentou por estar cansado. ____________________
16. Eu tomei um táxi por estar atrasada. ____________________
____
17. Ela insistiu por ser teimosa. ____________________
18. Eu estive lá sem ser visto. ____________________
19. Vi o acidente sem poder ajudar. ____________________
20. Eu saí sem me despedir. ____________________
21. Ele foi embora sem olhar para trás. ____________________
22. Antes de ir para casa, ele foi ao dentista. ____________________
____

---

* O infinitivo pessoal é uma particularidade da língua portuguesa. Seu emprego ainda não está bem definido, de modo que muitas vezes somos guiados apenas pela clareza da frase.

23. Você pode ir para casa depois de falar com ele. ____________________

____

24. Apague a luz antes de se deitar. ____________________
25. Eu nunca desligo a televisão antes de me deitar. ____________________

____

26. Ela não conhecia nada do Brasil antes de vir para cá. ____________________

____

27. Ele insistiu para eu aceitar. ____________________
28. Tranquei as portas por estar com medo. ____________________

____

29. Ela mudou de idéia sem dar satisfação para ninguém. ____________________

____

30. Antes de fechar o negócio, converse com o João. ____________________

____

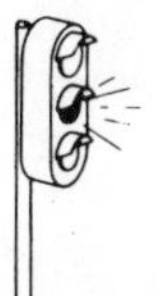

Regência

I. Verbos seguidos de infinitivo

A. sem preposição

Ela *parece estar* cansada.
Eu *odeio trabalhar* à noite.

acreditar	precisar
conseguir	preferir
decidir	pretender
desejar	procurar
dever	prometer
esperar	querer
evitar	recear
fingir	saber
odiar	sentir
parecer	temer
poder	tencionar
	tentar

B. com preposição

Ele *aprendeu* a dirigir em três dias.
Eles *insistiram* em esperar.

acabar de	esquecer-se de
acostumar-se a	gostar de
ajudar a	insistir em, para
aprender a	lembrar-se de
cansar(-se) de	morrer de
começar a	parar de
desistir de	

consentir em	pedir para
continuar a	pensar em
deixar de	preparar-se para
ensinar a	sonhar em

II. Verbos seguidos de substantivo com preposição

Eu *me interesso* por música.
Andamos de ônibus todos os dias.

agradar a	gostar de
andar de	interessar-se por
cansar(-se) de	lutar com
casar(-se) com	morrer de
cuidar de	pensar em
depender de	responder a
falar com, de	sonhar com
fugir de	viver de

III. Adjetivos seguidos de preposição

Estamos *contentes com* José.
Ele não é *capaz de* fazer o trabalho sozinho.

agradável para, a	duro de
alegre com, em	fácil de
ansioso por	favorável para, a
apto a	igual a
capaz de	interessado em
contente com, em	parecido com
contrário a	prejudicial para, a
desagradável para, a	satisfeito com, por
difícil de	semelhante a
	triste com, por

A. Complete com a preposição adequada:

1. Ele ajudou-me ____________ colocar tudo na estante.
2. Todos começaram ____________ falar ao mesmo tempo.
3. O diretor, afinal, consentiu ____________ nos receber.
4. Estas crianças não gostam ____________ trabalhar.
5. O público morreu ________ rir com as piadas deste cômico.
6. Temos ________ ensinar os novos funcionários ________ trabalhar com estas máquinas.
7. Já era tarde quando nos lembramos ____________ enviar-lhes um telegrama.
8. Não gosto ________ viajar com estranhos.
9. Ela cansou-se ________ sempre ajudar ________ todos.
10. Não podemos deixar ____________ ir à sua festa.

B. Complete com a preposição adequada:

1. Este trabalho depende ________ nós.
2. Ela só pensa ____________ (ele).
3. Meu companheiro interessa-se __________ tudo.
4. Sei que podemos contar _________ você para este negócio.
5. Não pude responder ____________ sua carta antes.
6. Ontem sonhei ___________ você.
7. Denise, ontem falei _________ ele _________ nosso amigo Xavier.
8. Espero que ele se lembre ____________ mim.
9. Pode viajar tranqüila. Nós cuidaremos _________ (a) casa e _________ (os) garotos.
10. Minha filha vai se casar ____________ um rapaz de muito futuro.

C. Complete com a preposição adequada:

1. Estamos ansiosos ____________ conhecer o país.
2. Não sei se já estamos aptos ____________ prestar o exame.
3. Ela ficou contentíssima ____________ o telefonema.
4. Neste ponto ela é semelhante ____________ mãe.
5. Nosso chefe não é favorável ____________ mudanças.
6. Se a experiência não for bem sucedida, ele é capaz __________ abandonar tudo.
7. Eles são sempre contrários __________ nossas sugestões e ____________ nossos planos.
8. Não estou interessado __________ participar deste projeto.
9. Será que o público ficará satisfeito ____________ as medidas do governo?
10. Esta notícia não foi agradável ____________ ninguém.

D. Complete com preposição, se necessário:

Depois que Marta aprendeu _________ falar inglês e francês, achou que estava apta _______ trabalhar. Decidiu _______ arranjar um emprego.

Estava ansiosa _______ ganhar seu próprio dinheiro. Ela não queria nem ________ pensar _______ trabalhar num escritório. Ela não gostava ________ ficar horas e horas sentada numa sala fechada batendo relatórios. Ela sonhava ________ um trabalho sem rotina e morria _________ medo de não o encontrar.

Então ela começou ________ ler anúncios de jornal. Como os anúncios eram muitos, Marta pediu ________ Mônica, sua irmã, ______ ajudar. Mônica ajudou Marta ______ selecionar os anúncios mais interessantes. Às vezes Mônica ficava cansada ________ (a) tarefa e reclamava. Marta tentava __________ compreendê-la.

Intervalo

Provérbios

Casa de ferreiro, espeto de pau.
Água mole em pedra dura, tanto bate até que fura.
De grão em grão a galinha enche o papo.

Um dia é da caça, o outro do caçador.

Quem ri por último, ri melhor.
Para bom entendedor, meia palavra basta.
A cavalo dado não se olham os dentes.

Pelo dedo se conhece o gigante.

Quem não tem cão, caça com gato.

Quem ama o feio bonito lhe parece.

Símiles

feio como o diabo

escuro como breu

surdo como uma porta

rápido como um raio

preto como carvão
doce como mel
amargo como fel

magro como um palito

pesado como chumbo

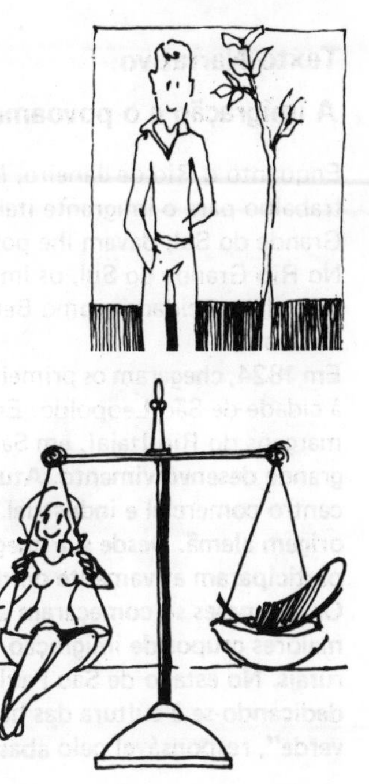

leve como uma pluma

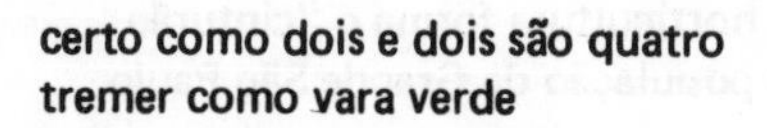

certo como dois e dois são quatro
tremer como vara verde

dormir como uma pedra

A. Complete as frases com símiles:

1. Ele estava tão cansado que caiu na cama e ____________________
2. Ela fez um regime rigoroso e agora ____________________
3. Não consegui enxergar nada. A rua estava ____________________
4. Eu nem o vi direito. Ele passou por aqui ____________________
5. Fale mais alto. Ele não a está escutando. Ele é ____________________
6. O susto foi tão grande que meia hora depois eu ainda ____________________
7. Não consigo carregar sua mala, João. Ela ____________________
8. Preciso tirar outra fotografia. Nesta eu estou ____________________
9. Não tenho dúvidas. É isso mesmo o que vai acontecer. É tão ____________________
10. Depois do trabalho as mãos do mecânico ficam ____________________

B. Escolha 8 símiles e use-os em sentenças.

Texto Narrativo

A imigração e o povoamento do sul do Brasil

Enquanto o Rio de Janeiro, Minas Gerais e São Paulo davam ocupação ou trabalho para o imigrante italiano, os estados do sul, Santa Catarina e Rio Grande do Sul, davam-lhe possibilidade de tornar-se pequeno proprietário. No Rio Grande do Sul, os imigrantes italianos dedicavam-se à cultura da uva e fundaram cidades como Bento Gonçalves, famosa por seu vinho, Caxias e Garibaldi.

Em 1824, chegaram os primeiros alemães ao Rio Grande do Sul, dando origem à cidade de São Leopoldo. Em 1850, Dr. Hermann Blumenau fundou, às margens do Rio Itajaí, em Santa Catarina, uma colônia que apresentou um grande desenvolvimento. Atualmente, a cidade de Blumenau é um grande centro comercial e industrial. Em 1851 surgiu Joinville, outra cidade de origem alemã. Desde sua chegada, os alemães, e depois seus descendentes, participaram ativamente do desenvolvimento econômico e cultural do Brasil.

Os japoneses só começaram a vir para cá em 1908, mas já constituem um dos maiores grupos de imigração. Estabeleceram-se, predominantemente, nas áreas rurais. No estado de São Paulo, os japoneses concentraram-se ao redor da capital, dedicando-se à cultura das hortaliças. Esta horticultura forma o "cinturão verde", responsável pelo abastecimento da população da Grande São Paulo.

No vale do Paraíba, na região alagadiça, desenvolveram a cultura do arroz, usando a mesma técnica aplicada em sua terra natal. Demonstrando espírito pioneiro, os japoneses deram impulso, também, à cultura do chá e da pimenta-do-reino.
Há ainda outros grupos de imigrantes no Brasil. Os eslavos fixaram-se no estado do Paraná. Os sírios-libaneses, desde o fim do século passado, já vinham para o Brasil. Como a Síria e o Líbano estavam sob o domínio da Turquia, eram registrados como turcos. Distribuíram-se por todo o território brasileiro, assimilando-se facilmente. Não sendo agricultores, fixaram-se, principalmente, nas cidades e dedicaram-se ao comércio.
Os imigrantes fazem parte integrante da população brasileira. Desde os portugueses, que se confundem com nossa história, até os chineses, que, vieram recentemente, passando pelos espanhóis, americanos, franceses, ingleses, austríacos, suecos e holandeses, o Brasil deve à imigração grande parte de seu desenvolvimento.
Os imigrantes que para cá vieram adotaram a nova terra e construíram nela sua nova vida.

A. Responda:

1. Que fator atraiu os imigrantes para as terras do sul?
2. De que nacionalidade eram os imigrantes que se dirigiram para o Rio Grande do Sul? A que tipo de trabalho se dedicaram?
3. Quem povoou o vale do Rio Itajaí? O que construíram aí?
4. O que é o "cinturão verde"?
5. O que sabe sobre a imigração no Paraná?
6. Pode-se dizer que houve uma imigração turca no Brasil? Explique.
7. Diga o que sabe sobre a imigração portuguesa para o Brasil.
8. Conte-nos sobre os movimentos de imigração e emigração de seu país.

Faça agora o Teste 9 do Caderno de Testes.

Textos dos ditados

Unidade 1

Nossos amigos João e Lúcia moram no Japão, em Tóquio.
Eles falam japonês muito bem.
Eles gostam de lá.

Unidade 3

Os aviões alemães chegaram aqui de manhã.
Meu irmão tem amigos espanhóis.
Estes rapazes chineses são bons.
Os trens param nas estações.

Unidade 5

Há dois dias assistimos a um bom programa de televisão sobre a América do Sul. Velhos artistas cantaram canções antigas.
Artistas novos apresentaram músicas modernas. Vimos entrevistas interessantes e, também, danças tradicionais. Um filme mostrou os Andes e a Amazônia.
Daqui a duas semanas vamos ver um programa sobre o Egito.

Unidade 7

Ontem, entrando nas Lojas Pernambucanas, vi uma moça jovem, muito elegante. É minha vizinha, pensei. Ela dirigia-se à seção de roupas de cama e mesa. Então resolvi cumprimentá-la, mas quando fui dizer-lhe boa tarde, percebi que ela não era minha vizinha.
Não sei como pude enganar-me. Eu a conheço tão bem.

Unidade 9

Hoje a cidade está calma e quase vazia. É apenas sexta-feira, mas por causa do feriado de ontem, o fim-de-semana começou mais cedo.
Antigamente não havia necessidade de se sair da cidade em cada feriado. Mas hoje todo mundo anda cansadíssimo e mal vê a hora de deixar a cidade grande.

Unidade 11

Toda vez que passava diante da joalheria, ela diminuía os passos e acabava parando para admirar a bela esmeralda.
Ela nunca tinha visto nada tão lindo, antes.
Na semana passada, o joalheiro tinha-a posto no meio das outras, de várias cores.
Hoje, ela era a pedra de um anel, rodeada de brilhantes, e estava mais linda do que nunca.

Unidade 13

Indo a Minas Gerais, devemos conhecer, obrigatoriamente, Ouro Preto, uma das cidades históricas mais importantes do Brasil.
Para que possa apreciar sem pressa essa cidade, você deve percorrer suas ruas, calmamente, a pé, mesmo que não esteja habituado a isto. Vale a pena, porque estas ruas, que sobem e descem todo o tempo, estão repletas de casas, igrejas e monumentos barrocos.
Chamada antigamente Vila Rica, no apogeu da exploração do ouro e pedras preciosas, Ouro Preto foi considerada Cidade Monumento Internacional pelo Comitê de Patrimônio da Unesco, em Paris, em 2 de setembro de 1980.

Unidade 15

O carro entrou na Avenida do Estado, ziguezagueou na pista e precipitou-se nas águas do Rio Tamanduateí. Imediatamente vários outros motoristas frearam os seus carros e partiram em socorro da vítima. Felizmente as águas do rio estavam baixas e o motorista, que viajava sozinho, saiu ileso, sem um arranhão sequer.
Retirado o carro, os palpites sobre as causas do acidente começaram a se cruzar: "O motorista tinha bebido", "Pressa dá nisso", "Quebrou a barra da direção".
Com a chegada da técnica tudo ficou esclarecido. O carro estava com as rodas desalinhadas.
"Quem anda com as rodas desalinhadas", disse um dos técnicos, "está procurando sarna pra se coçar". "Ou então gosta muito de nadar . . .", disse um outro.

Unidade 17

Daqui a três horas, às sete horas em ponto, estarei conversando com ele. Imaginem! Não o vejo há vinte anos. Duvido que possa reconhecê-lo. Lembro-me dele bem jovem, sentado à porta de sua casa ou indo a pé para o colégio. Às vezes, à tarde, ele vinha à nossa casa estudar com meus irmãos. Nossa! Quanto tempo! Vamos bater um longo papo. Há muita coisa para contar.

Apêndice gramatical

Artigos	
Definidos	Indefinidos
Singular masculino - o feminino - a	*Singular* masculino - um feminino - uma
Plural masculino - os feminino - as	*Plural* masculino - uns feminino - umas

Pronomes demonstrativos		
	Singular	*Plural*
masculino	este, esse, aquele	estes, esses, aqueles
feminino	esta, essa, aquela	estas, essas, aquelas
neutro	isto, isso, aquilo	estes, esses, aqueles

Pronomes possessivos				
	Masc. singular	Fem. singular	Masc. plural	Fem. plural
eu	meu	minha	meus	minhas
tu	teu	tua	teus	tuas
ele	seu	sua	seus	suas
nós	nosso	nossa	nossos	nossas
vós	vosso	vossa	vossos	vossas
eles	seu	sua	seus	suas

Pronomes pessoais			
Sujeito	Complementos		
	Direto	Indireto	Reflexivo-Recíproco
eu	me	me, mim, comigo	me
tu	te	te, ti, contigo	te
ele ela você	o, a (lo, la)	lhe	se
nós	nos	nos, conosco	nos
vós	vos	vos, convosco	vos
eles elas vocês	os, as (los, las, nos, nas)	lhes	se

Pronomes indefinidos			
	Variáveis		Invariáveis
masculino feminino	*Singular* algum, nenhum, outro, todo alguma, nenhuma, outra, toda	*Singular* qualquer	alguém, algo, ninguém, nada, tudo, cada
masculino feminino	*Plural* alguns, outros, todos, vários algumas, outras, todas, várias	*Plural* quaisquer	

Conjugação verbal

Verbos regulares - Primeira conjugação: Morar

	Modo Indicativo		Modo Subjuntivo	
	Tempos simples	Tempos compostos	Tempos simples	Tempos compostos
Presente	Eu moro		Que eu more	
	Tu moras		Que tu mores	
	Ele mora		Que ele more	
	Nós moramos		Que nós moremos	
	Vós morais		Que vós moreis	
	Eles moram		Que eles morem	
Pretérito imperfeito	Eu morava		Que ele morasse	
	Tu moravas		Que tu morasses	
	Ele morava		Que ele morasse	
	Nós morávamos		Que nós morássemos	
	Vós moráveis		Que vós morásseis	
	Ele moravam		Que eles morassem	
Pretérito perfeito	Eu morei	tenho morado		tenha morado
	Tu moraste	tens morado		tenhas morado
	Ele morou	tem morado		tenha morado
	Nós moramos	temos morado		tenhamos morado
	Vós morastes	tendes morado		tenhais morado
	Eles moraram	têm morado		tenham morado
Pretérito mais-que-perfeito	Eu morara	tinha morado		tivesse morado
	Tu moraras	tinhas morado		tivesses morado
	Ele morara	tinha morado		tivesse morado
	Nós moráramos	tínhamos morado		tivéssemos morado
	Vós moráreis	tínheis morado		tivésseis morado
	Eles moraram	tinham morado		tivessem morado
Futuro do presente	Eu morarei	terei morado	Quando eu morar	tiver morado
	Tu morarás	terás morado	Quando tu morares	tiverdes morado
	Ele morará	terá morado	Quando ele morar	tiver morado
	Nós moraremos	teremos morado	Quando nós morarmos	tivermos morado
	Vós morareis	tereis morado	Quando vós morardes	tiverdes morado
	Eles morarão	terão morado	Quando eles morarem	tiverem morado
Futuro do pretérito	Eu moraria	teria morado		
	Tu morarias	terias morado		
	Ele moraria	teria morado		
	Nós moraríamos	teríamos morado		
	Vós moraríeis	teríeis morado		
	Eles morariam	teriam morado		

Modo Imperativo

Afirmativo	*Negativo*
mora (tu)	não mores (tu)
more (você)	não more (você)
moremos (nós)	não moremos (nós)
morai (vós)	não moreis (vós)
morem (vocês)	não morem (vocês)

Formas Nominais

Infinitivo

Pres. impessoal	*Pres. pessoal*	*Pret. impessoal*	*Pret. pessoal*
morar	morar eu	ter morado	ter morado
	morares tu		teres morado
	morar ele		ter morado
	morarmos nós		termos morado
	morardes vós		terdes morado
	morarem eles		terem morado

Gerúndio

Presente	*Pretérito*
morando	tendo morado

Particípio

morado

Conjugação verbal

Verbos regulares - Segunda conjugação: Atender

	Modo Indicativo		**Modo Subjuntivo**	
	Tempos simples	Tempos compostos	Tempos simples	Tempos compostos
Presente	Eu atendo		Que eu atenda	
	Tu atendes		Que tu atendas	
	Ele atende		Que ele atenda	
	Nós atendemos		Que nós atendamos	
	Vós atendeis		Que vós atendais	
	Eles atendem		Que eles atendam	

	Tempos simples	Tempos compostos	Tempos simples	Tempos compostos
Pretérito imperfeito	Eu atendia Tu atendias Ele atendia Nós atendíamos Vós atendíeis Ele atendiam		Que eu atendesse Que tu atendesses Que ele atendesse Que nós atendêssemos Que vós atendêsseis Que eles atendessem	
Pretérito perfeito	Eu atendi Tu atendeste Ele atendeu Nós atendemos Vós atendestes Eles atenderam	tenho atendido tens atendido tem atendido temos atendido tendes atendido têm atendido		tenha atendido tenhas atendido tenha atendido tenhamos atendido tenhais atendido tenham atendido
Pretérito mais-que-perfeito	Eu atendera Tu atenderas Ele atendera Nós atendêramos Vós atendêreis Eles atenderam	tinha atendido tinhas atendido tinha atendido tínhamos atendido tínheis atendido tinham atendido		tivesse atendido tivesses atendido tivesse atendido tivéssemos atendido tivésseis atendido tivessem atendido
Futuro do presente	Eu atenderei Tu atenderás Ele atenderá Nós atenderemos Vós atendereis Eles atenderão	terei atendido terás atendido terá atendido teremos atendido tereis atendido terão atendido	Quando eu atender Quando tu atenderes Quando ele atender Quando nós atendermos Quando vós atenderdes Quando eles atenderem	tiver atendido tiverdes atendido tiver atendido tivermos atendido tiverdes atendido tiverem atendido
Futuro do pretérito	Eu atenderia Tu atenderias Ele atenderia Nós atenderíamos Vós atenderíeis Eles atenderiam	teria atendido terias atendido teria atendido teríamos atendido teríeis atendido teriam atendido		

Modo Imperativo

Afirmativo	*Negativo*
atende (tu)	não atendas (tu)
atenda (você)	não atenda (você)
atendamos (nós)	não atendamos (nós)
atendei (vós)	não atendais (vós)
atendam (vocês)	não atendam (vocês)

Formas Nominais

Infinitivo

Presente impessoal	*Presente pessoal*
atender	atender eu atenderes tu atender ele atendermos nós atenderdes vós atenderem eles

Pretérito impessoal	*Pretérito pessoal*
ter atendido	ter atendido teres atendido ter atendido termos atendido terdes atendido terem atendido

Gerúndio *Presente*	*Pretérito*
atendendo	tendo atendido

Particípio
atendido

Conjugação verbal

Verbos regulares - Terceira conjugação: Abrir

	Modo Indicativo		**Modo Subjuntivo**	
	Tempos simples	Tempos compostos	Tempos simples	Tempos compostos
Presente	Eu abro Tu abres Ele abre Nós abrimos Vós abris Eles abrem		Que eu abra Que tu abras Que ele abra Que nós abramos Que vós abrais Que eles abram	
Pretérito imperfeito	Eu abria Tu abrias Ele abria Nós abríamos Vós abríeis Eles abriam		Que ele abrisse Que tu abrisses Que ele abrisse Que nós abríssemos Que vós abrísseis Que eles abrissem	
Pretérito perfeito	Eu abri Tu abriste Ele abriu Nós abrimos Vós abristes Eles abriram	tenho aberto tens aberto tem aberto temos aberto tendes aberto têm aberto		tenha aberto tenhas aberto tenha aberto tenhamos aberto tenhais aberto tenham aberto
Pretérito-mais que-perfeito	Eu abrira Tu abriras Ele abrira Nós abríramos Vós abríreis Eles abriram	tinha aberto tinhas aberto tinha aberto tínhamos aberto tínheis aberto tinham aberto		tivesse aberto tivesses aberto tivesse aberto tivéssemos aberto tivésseis aberto tivessem aberto

	Tempos simples	Tempos compostos	Tempos simples	Tempos compostos
Futuro do presente	Eu abrirei	terei aberto	Quando eu abrir	tiver aberto
	Tu abrirás	terás aberto	Quando tu abrires	tiverdes aberto
	Ele abrirá	terá aberto	Quando ele abrir	tiver aberto
	Nós abriremos	teremos aberto	Quando nós abrirmos	tivermos aberto
	Vós abrireis	tereis aberto	Quando vós abrirdes	tiverdes aberto
	Eles abrirão	terão aberto	Quando eles abrirem	tiverem aberto
Futuro do pretérito	Eu abriria	teria aberto		
	Tu abririas	terias aberto		
	Ele abriria	teria aberto		
	Nós abriríamos	teríamos aberto		
	Vós abriríeis	teríeis aberto		
	Eles abririam	teriam aberto		

Modo Imperativo

Afirmativo	*Negativo*
abre (tu)	não abras (tu)
abra (você)	não abra (você)
abramos (nós)	não abramos (nós)
abri (vós)	não abrais (vós)
abram (vocês)	não abram (vocês)

Formas Nominais

Infinitivo *Presente impessoal*	*Presente pessoal*
abrir	abrir eu
	abrires tu
	abrir ele
	abrirmos nós
	abrirdes vós
	abrirem eles

Pretérito impessoal	*Pretérito pessoal*
ter aberto	ter aberto
	teres aberto
	ter aberto
	termos aberto
	terdes aberto
	terem aberto

Gerúndio *Presente*	*Pretérito*
abrindo	tendo aberto

Particípio
aberto

Conjugação dos verbos auxiliares mais comuns

SER	*ESTAR*	*TER*	*HAVER*

Modo Indicativo

Presente

Eu sou	estou	tenho	hei
Tu és	estás	tens	hás
Ele é	está	tem	há
Nós somos	estamos	temos	havemos
Vós sois	estais	tendes	haveis
Eles são	estão	têm	hão

Pretérito imperfeito

Eu era	estava	tinha	havia
Tu eras	estavas	tinhas	havias
Ele era	estava	tinha	havia
Nós éramos	estávamos	tínhamos	havíamos
Vós éreis	estáveis	tínheis	havíeis
Eles eram	estavam	tinham	haviam

Pretérito perfeito

Eu fui	estive	tive	houve
Tu foste	estiveste	tiveste	houveste
Ele foi	esteve	teve	houve
Nós fomos	estivemos	tivemos	houvemos
Vós fostes	estivestes	tivestes	houvestes
Eles foram	estiveram	tiveram	houveram

Pretérito mais-que-perfeito

Eu fora	estivera	tivera	houvera
Tu foras	estiveras	tiveras	houveras
Ele fora	estivera	tivera	houvera
Nós fôramos	estivéramos	tivéramos	houvéramos
Vós fôreis	estivéreis	tivéreis	houvéreis
Eles foram	estiveram	tiveram	houveram

Futuro do presente

Eu serei	estarei	terei	haverei
Tu serás	estarás	terás	haverás
Ele será	estará	terá	haverá
Nós seremos	estaremos	teremos	haveremos
Vós sereis	estareis	tereis	havereis
Eles serão	estarão	terão	haverão

Futuro do pretérito

Eu seria	estaria	teria	haveria
Tu serias	estarias	terias	haverias
Ele seria	estaria	teria	haveria
Nós seríamos	estaríamos	teríamos	haveríamos
Vós seríeis	estaríeis	teríeis	haveríeis
Eles seriam	estariam	teriam	haveriam

Modo Subjuntivo

Presente

Que eu seja	esteja	tenha	haja
Que tu sejas	estejas	tenhas	hajas
Que ele seja	esteja	tenha	haja
Que nós sejamos	estejamos	tenhamos	hajamos
Que vós sejais	estejais	tenhais	hajais
Que eles sejam	estejam	tenham	hajam

Pretérito imperfeito

Que eu fosse	estivesse	tivesse	houvesse
Que tu fosses	estivesses	tivesses	houvesses
Que ele fosse	estivesse	tivesse	houvesse
Que nós fôssemos	estivéssemos	tivéssemos	houvéssemos
Que vós fôsseis	estivésseis	tivésseis	houvésseis
Que eles fossem	estivesses	tivessem	houvessem

Futuro do presente

Quando eu for	estiver	tiver	houver
Quando tu fores	estiveres	tiveres	houveres
Quando ele for	estiver	tiver	houver
Quando nós formos	estivermos	tivermos	houvermos
Quando vós fordes	estiverdes	tiverdes	houverdes
Quando eles forem	estiverem	tiverem	houverem

Modo Imperativo

Afirmativo

sê (tu)	está	tem	há
seja (você)	esteja	tenha	haja
sejamos (nós)	estejamos	tenhamos	hajamos
sede (vós)	estai	tende	havei
sejam (vocês)	estejam	tenham	hajam

Negativo

não sejas (tu)	não estejas	não tenhas	não hajas
não seja (você)	não esteja	não tenha	não haja
não sejamos (nós)	não estejamos	não tenhamos	não hajamos
não sejais (vós)	não estejais	não tenhais	não hajais
não sejam (vocês)	não estejam	não tenham	não hajam

Formas Nominais

Infinitivo impessoal

ser	estar	ter	haver

Infinitivo pessoal

ser eu	estar	ter	haver
seres tu	estares	teres	haveres
ser ele	estar	ter	haver
sermos nós	estarmos	termos	havermos
serdes vós	estardes	terdes	haverdes
serem eles	estarem	terem	haverem

Gerúndio

sendo	estando	tendo	havendo

Particípio

sido	estado	tido	havido

Conjugação dos verbos irregulares caber, cobrir, construir e dar

to fit	to cover	to build	to give
CABER	*COBRIR*	*CONSTRUIR*	*DAR*

Modo Indicativo

Presente

Eu caibo	cubro	construo	dou
Tu cabes	cobres	constróis	dás
Ele cabe	cobre	constrói	dá
Nós cabemos	cobrimos	construímos	damos
Vós cabeis	cobris	construís	dais
Eles cabem	cobrem	constroem	dão

Pretérito imperfeito

Eu cabia	cobria	construía	dava
Tu cabias	cobrias	construías	davas
Ele cabia	cobria	construía	dava
Nós cabíamos	cobríamos	construíamos	dávamos
Vós cabíeis	cobríeis	construíeis	dáveis
Eles cabiam	cobriam	construíam	davam

Pretérito perfeito

Eu coube	cobri	construí	dei
Tu coubeste	cobriste	construíste	deste
Ele coube	cobriu	construiu	deu
Nós coubemos	cobrimos	construímos	demos
Vós coubestes	cobristes	construístes	destes
Eles couberam	cobriram	construiram	deram

Pretérito mais-que-perfeito

Eu coubera	cobrira	construíra	dera
Tu couberas	cobriras	construíras	deras
Ele coubera	cobrira	construíra	dera
Nós coubéramos	cobríramos	construíramos	déramos
Vós coubéreis	cobríreis	construíreis	déreis
Eles couberam	cobriram	construíram	deram

Futuro do presente

Eu caberei	cobrirei	construirei	darei
Tu caberás	cobrirás	construirás	darás
Ele caberá	cobrirá	construirá	dará
Nós caberemos	cobriremos	construiremos	daremos
Vós cabereis	cobrireis	construireis	dareis
Eles caberão	cobrirão	construirão	darão

Futuro do pretérito

Eu caberia	cobriria	construiria	daria
Tu caberias	cobririas	construirias	darias
Ele caberia	cobriria	construiria	daria
Nós caberíamos	cobriríamos	construiríamos	daríamos
Vós caberíeis	cobriríeis	construiríeis	daríeis
Eles caberiam	cobririam	construiriam	dariam

Modo Subjuntivo

Presente

Que eu caiba	cubra	construa	dê
Que tu caibas	cubras	construas	dês
Que ele caiba	cubra	construa	dê
Que nós caibamos	cubramos	construamos	demos
Que vós caibais	cubrais	construais	deis
Que eles caibam	cubram	construam	dêem

Pretérito imperfeito

Que eu coubesse	cobrisse	construísse	desse
Que tu coubesses	cobrisses	construísses	desses
Que ele coubesse	cobrisse	construísse	desse
Que nós coubéssemos	cobríssemos	contruíssemos	déssemos
Que vós coubésseis	cobrísseis	construísseis	désseis
Que eles coubessem	cobrissem	construíssem	dessem

Futuro do presente

Quando eu couber	cobrir	construir	der
Quando tu couberes	cobrires	construíres	deres
Quando ele couber	cobrir	construir	der
Quando nós coubermos	cobrirmos	construirmos	dermos
Quando vós couberdes	cobrirdes	construirdes	derdes
Quando eles couberem	cobrirem	construírem	derem

Modo Imperativo

Afirmativo

cabe (tu)	cobre	constrói	dá
caiba (você)	cubra	construa	dê
caibamos (nós)	cubramos	construamos	demos
cabei (vós)	cobri	construí	dai
caibam (vocês)	cubram	construam	dêem

Negativo

não caibas (tu)	não cubras	não construas	não dês
não caiba (você)	não cubra	não construa	não dê
não caibamos (nós)	não cubramos	não construamos	não demos
não caibais (vós)	não cubrais	não construais	não deis
não caibam (vocês)	não cubram	não construam	não dêem

Formas Nominais

Infinitivo impessoal

caber	cobrir	construir	dar

Infinitivo pessoal

caber eu	cobrir	construir	dar
caberes tu	cobrires	construíres	dares
caber ele	cobrir	construir	dar
cabermos nós	cobrirmos	construírmos	darmos
caberdes vós	cobrirdes	construírdes	dardes
caberem eles	cobrirem	construírem	darem

Gerúndio

cabendo	cobrindo	construindo	dando

Particípio

cabido	coberto	construído	dado

Conjugação dos verbos irregulares divertir, dizer, dormir e fazer

DIVERTIR	*DIZER*	*DORMIR*	*FAZER*

Modo Indicativo

Presente

Eu divirto	digo	durmo	faço
Tu divertes	dizes	dormes	fazes
Ele diverte	diz	dorme	faz
Nós divertimos	dizemos	dormimos	fazemos
Vós divertis	dizeis	dormis	fazeis
Eles divertem	dizem	dormem	fazem

Pretérito imperfeito

Eu divertia	dizia	dormia	fazia
Tu divertias	dizias	dormias	fazias
Ele divertia	dizia	dormia	fazia
Nós divertíamos	dizíamos	dormíamos	fazíamos
Vós divertíeis	dizíeis	dormíeis	fazíeis
Eles divertiam	diziam	dormiam	faziam

Pretérito perfeito

Eu diverti	disse	dormi	fiz
Tu divertiste	disseste	dormiste	fizeste
Ele divertiu	disse	dormiu	fez
Nós divertimos	dissemos	dormimos	fizemos
Vós divertistes	dissestes	dormistes	fizestes
Eles divertiram	disseram	dormiram	fizeram

Pretérito mais-que-perfeito

Eu divertira	dissera	dormira	fizera
Tu divertiras	disseras	dormiras	fizeras
Ele divertira	dissera	dormira	fizera
Nós divertíramos	disséramos	dormíramos	fizéramos
Vós divertíreis	disséreis	dormíreis	fizéreis
Eles divertiram	disseram	dormiram	fizeram

Futuro do presente

Eu divertirei	direi	dormirei	farei
Tu divertirás	dirás	dormirás	farás
Ele divertirá	dirá	dormirá	fará
Nós divertiremos	diremos	dormiremos	faremos
Vós divertireis	direis	dormireis	fareis
Eles divertirão	dirão	dormirão	farão

Futuro do pretérito

Eu divertiria	diria	dormiria	faria
Tu divertirias	dirias	dormirias	farias
Ele divertiria	diria	dormiria	faria
Nós divertiríamos	diríamos	dormiríamos	faríamos
Vós divertiríeis	diríeis	dormiríeis	faríeis
Eles divertiriam	diriam	dormiriam	fariam

Modo Subjuntivo

Presente

Que eu divirta	diga	durma	faça
Que tu divirtas	digas	durmas	faças
Que ele divirta	diga	durma	faça
Que nós divirtamos	digamos	durmamos	façamos
Que vós divirtais	digais	durmais	façais
Que eles divirtam	digam	durmam	façam

Pretérito imperfeito

Que eu divertisse	dissesse	dormisse	fizesse
Que tu divertisses	dissesses	dormisses	fizesses
Que ele divertisse	dissesse	dormisse	fizesse
Que nós divertíssemos	disséssemos	dormíssemos	fizéssemos
Que vós divertísseis	dissésseis	dormísseis	fizésseis
Que eles divertissem	dissessem	dormissem	fizessem

Futuro do presente

Quando eu divertir	disser	dormir	fizer
Quando tu divertires	disseres	dormires	fizeres
Quando ele divertir	disser	dormir	fizer
Quando nós divertirmos	dissermos	dormirmos	fizermos
Quando vós divertirdes	disserdes	dormirdes	fizerdes
Quando eles divertirem	disserem	dormirem	fizerem

Modo Imperativo

Afirmativo

diverte (tu)	dize	dorme	faze
divirta (você)	diga	durma	faça
divirtamos (nós)	digamos	durmamos	façamos
diverti (vós)	dizei	dormi	fazei
divirtam (vocês)	digam	durmam	façam

Negativo

não divirtas (tu)	não digas	não durmas	não faças
não divirta (você)	não diga	não durma	não faça
não divirtamos (nós)	não digamos	não durmamos	não façamos
não divirtais (vós)	não digais	não durmais	não façais
não divirtam (vocês)	não digam	não durmam	não façam

Formas Nominais

Infinitivo impessoal

divertir	dizer	dormir	fazer

Infinitivo pessoal

divertir eu	dizer	dormir	fazer
divertires tu	dizeres	dormires	fazeres
divertir ele	dizer	dormir	fazer
divertirmos nós	dizermos	dormirmos	fazermos
divertirdes vós	dizerdes	dormirdes	fazerdes
divertirem eles	dizerem	dormirem	fazerem

Gerúndio

divertindo	dizendo	dormindo	fazendo

Particípio

divertido	dito	dormido	feito

Conjugação dos verbos irregulares ir, ler, medir e odiar

IR	*LER*	*MEDIR*	*ODIAR*

Modo Indicativo

Presente

Eu vou	leio	meço	odeio
Tu vais	lês	medes	odeias
Ele vai	lê	mede	odeia
Nós vamos	lemos	medimos	odiamos
Vós ides	ledes	medis	odiais
Eles vão	lêem	medem	odeiam

Pretérito imperfeito

Eu ia	lia	media	odiava
Tu ias	lias	medias	odiavas
Ele ia	lia	media	odiava
Nós íamos	líamos	medíamos	odiávamos
Vós íeis	líeis	medíeis	odiáveis
Eles iam	liam	mediam	odiavam

Pretérito perfeito

Eu fui	li	medi	odiei
Tu foste	leste	mediste	odiaste
Ele foi	leu	mediu	odiou
Nós fomos	lemos	medimos	odiamos
Vós fostes	lestes	medistes	odiastes
Eles foram	leram	mediram	odiaram

Pretérito mais-que-perfeito

Eu fora	lera	medira	odiara
Tu foras	leras	mediras	odiaras
Ele fora	lera	medira	odiara
Nós fôramos	lêramos	medíramos	odiáramos
Vós fôreis	lêreis	medíreis	odiáreis
Eles foram	leram	mediram	odiaram

Futuro do Presente

Eu irei	lerei	medirei	odiarei
Tu irás	lerás	medirás	odiarás
Ele irá	lerá	medirá	odiará
Nós iremos	leremos	mediremos	odiaremos
Vós ireis	lereis	medireis	odiareis
Eles irão	lerão	medirão	odiarão

Futuro do pretérito

Eu iria	leria	mediria	odiaria
Tu irias	lerias	medirias	odiarias
Ele iria	leria	mediria	odiaria
Nós iríamos	leríamos	mediríamos	odiaríamos
Vós iríeis	leríeis	mediríeis	odiaríeis
Eles iriam	leriam	mediriam	odiariam

Modo Subjuntivo

Presente

Que eu vá	leia	meça	odeie
Que tu vás	leias	meças	odeies
Que ele vá	leia	meça	odeie
Que nós vamos	leiamos	meçamos	odiemos
Que vós vades	leiais	meçais	odieis
Que eles vão	leiam	meçam	odeiem

Pretérito imperfeito

Que eu fosse	lesse	medisse	odiasse
Que tu fosses	lesses	medisses	odiasses
Que ele fosse	lesse	medisse	odiasse
Que nós fôssemos	lêssemos	medíssemos	odiássemos
Que vós fôsseis	lêsseis	medísseis	odiásseis
Que eles fossem	lessem	medissem	odiassem

Futuro do presente

Quando eu for	ler	medir	odiar
Quando tu fores	leres	medires	odiares
Quando ele for	ler	medir	odiar
Quando nós formos	lermos	medirmos	odiarmos
Quando vós fordes	lerdes	medirdes	odiardes
Quando eles forem	lerem	medirem	odiarem

Modo Imperativo

Afirmativo

vai (tu)	lê	mede	odeia
vá (você)	leia	meça	odeie
vamos (nós)	leiamos	meçamos	odiemos
ide (vós)	lede	medi	odiai
vão (vocês)	leiam	meçam	odeiem

Negativo

não vás (tu)	não leias	não meças	não odeies
npão vá (você)	não leia	não meça	não odeie
não vamos (nós)	não leiamos	não meçamos	não odiemos
não vades (vós)	não leiais	não meçais	não odeieis
não vão (vocês)	não leiam	não meçam	não odeiem

Formas Nominais

Infinitivo impessoal

ir	ler	medir	odiar

Infinitivo pessoal

ir eu	ler	medir	odiar
ires tu	leres	medires	odiares
ir ele	ler	medir	odiar
irmos nós	lermos	medirmos	odiarmos
irdes vós	lerdes	medirdes	odiardes
irem eles	lerem	medirem	odiarem

Gerúndio

indo	lendo	medindo	odiando

Particípio

ido	lido	medido	odiado

Conjugação dos verbos irregulares ouvir, passear, pedir e perder

OUVIR	*PASSEAR*	*PEDIR*	*PERDER*
Modo Indicativo			
Presente			
Eu ouço	passeio	peço	perco
Tu ouves	passeias	pedes	perdes
Ele ouve	passeia	pede	perde
Nós ouvimos	passeamos	pedimos	perdemos
Vós ouvis	passeais	pedis	perdeis
Eles ouvem	passeiam	pedem	perdem
Pretérito imperfeito			
Eu ouvia	passeava	pedia	perdia
Tu ouvias	passeavas	pedias	perdias
Ele ouvia	passeava	pedia	perdia
Nós ouvíamos	passeávamos	pedíamos	perdíamos
Vós ouvíeis	passeáveis	pedíeis	perdíeis
Eles ouviam	passeavam	pediam	perdiam
Pretérito perfeito			
Eu ouvi	passeei	pedi	perdi
Tu ouviste	passeaste	pediste	perdeste
Ele ouviu	passeou	pediu	perdeu
Nós ouvimos	passeamos	pedimos	perdemos
Vós ouvistes	passeastes	pedistes	perdestes
Eles ouviram	passearam	pediram	perderam
Pretérito mais-que-perfeito			
Eu ouvira	passeara	pedira	perdera
Tu ouviras	passearas	pediras	perderas
Ele ouvira	passeara	pedira	perdera
Nós ouvíramos	passeáramos	pedíramos	perdêramos
Vós ouvíreis	passeáreis	pedíreis	perdêreis
Eles ouviram	passearam	pediram	perderam
Futuro do presente			
Eu ouvirei	passearei	pedirei	perderei
Tu ouvirás	passearás	pedirás	perderás
Ele ouvirá	passeará	pedirá	perderá
Nós ouviremos	passearemos	pediremos	perderemos
Vós ouvireis	passeareis	pedireis	perdereis
Eles ouvirão	passearão	pedirão	perderão
Futuro do pretérito			
Eu ouviria	passearia	pediria	perderia
Tu ouvirias	passearias	pedirias	perderias
Ele ouviria	passearia	pediria	perderia
Nós ouviríamos	passearíamos	pediríamos	perderíamos
Vós ouviríeis	passearíeis	pediríeis	perderíeis
Eles ouviriam	passeariam	pediriam	perderiam

Modo Subjuntivo

Presente

Que eu ouça	passeie	peça	perca
Que tu ouças	passeies	peças	percas
Que ele ouça	passeie	peça	perca
Que nós ouçamos	passeemos	peçamos	percamos
Que vós ouçais	passeeis	peçais	percais
Que eles ouçam	passeiem	peçam	percam

Pretérito imperfeito

Que eu ouvisse	passeasse	pedisse	perdesse
Que tu ouvisses	passeasses	pedisses	perdesses
Que ele ouvisse	passeasse	pedisse	perdesse
Que nós ouvíssemos	passeássemos	pedíssemos	perdêssemos
Que vós ouvísseis	passeásseis	pedísseis	perdêsseis
Que eles ouvissem	passeassem	pedissem	perdessem

Futuro do presente

Quando eu ouvir	passear	pedir	perder
Quando tu ouvires	passeares	pedires	perderes
Quando ele ouvir	passear	pedir	perder
Quando nós ouvirmos	passearmos	pedirmos	perdermos
Quando vós ouvirdes	passeardes	pedirdes	perderdes
Quando eles ouvirem	passearem	pedirem	perderem

Modo Imperativo

Afirmativo

ouve (tu)	passeia	pede	perde
ouça (você)	passeie	peça	perca
ouçamos (nós)	passeemos	peçamos	percamos
ouvi (vós)	passeai	pedi	perdei
ouçam (vocês)	passeiem	peçam	percam

Negativo

não ouças (tu)	não passeies	não peças	não percas
não ouça (você)	não passeie	não peça	não perca
não ouçamos (nós)	não passeemos	não peçamos	não percamos
não ouçais (vós)	não passeis	não peçais	não percais
não ouçam (vocês)	não passeiem	não peçam	não percam

Formas Nominais

Infinitivo impessoal

ouvir	passear	pedir	perder

Infinitivo pessoal

ouvir eu	passear	pedir	perder
ouvires tu	passeares	pedires	perderes
ouvir ele	passear	pedir	perder
ouvirmos nós	passearmos	pedirmos	perdermos
ouvirdes vós	passeardes	pedirdes	perderdes
ouvirem eles	passearem	pedirem	perderem

Gerúndio

ouvindo	passeando	pedindo	perdendo

Particípio

ouvido	passeado	pedido	perdido

Conjugação dos verbos irregulares poder, pôr, preferir e querer

PODER	*PÔR*	*PREFERIR*	*QUERER*
Modo Indicativo			
Presente			
Eu posso	ponho	prefiro	quero
Tu podes	pões	preferes	queres
Ele pode	põe	prefere	quer
Nós podemos	pomos	preferimos	queremos
Vós podeis	pondes	preferis	quereis
Eles podem	põem	preferem	querem
Pretérito imperfeito			
Eu podia	punha	preferia	queria
Tu podias	punhas	preferias	querias
Ele podia	punha	preferia	queria
Nós podíamos	púnhamos	preferíamos	queríamos
Vós podíeis	púnheis	preferíeis	queríeis
Eles podiam	punham	preferiam	queriam
Pretérito perfeito			
Eu pude	pus	preferi	quis
Tu pudeste	puseste	preferiste	quiseste
Ele pôde	pôs	preferiu	quis
Nós pudemos	pusemos	preferimos	quisemos
Vós pudestes	pusestes	preferistes	quisestes
Eles puderam	puseram	preferiram	quiseram
Pretérito mais-que-perfeito			
Eu pudera	pusera	preferira	quisera
Tu puderas	puseras	preferiras	quiseras
Ele pudera	pusera	preferira	quisera
Nós pudéramos	puséramos	preferíramos	quiséramos
Vós pudéreis	puséreis	preferíreis	quiséreis
Eles puderam	puseram	preferiram	quiseram
Futuro do presente			
Eu poderei	porei	preferirei	quererei
Tu poderás	porás	preferirás	quererás
Ele poderá	porá	preferirá	quererá
Nós poderemos	poremos	preferiremos	quereremos
Vós podereis	poreis	preferireis	querereis
Eles poderão	porão	preferirão	quererão
Futuro do pretérito			
Eu poderia	poria	preferiria	quereria
Tu poderias	porias	preferirias	quererias
Ele poderia	poria	preferiria	quereria
Nós poderíamos	poríamos	preferiríamos	quereríamos
Vós poderíeis	poríeis	preferiríeis	quereríeis
Eles poderiam	poriam	prefeririam	quereriam

Modo Subjuntivo

Presente

Que eu possa	ponha	prefira	queira
Que tu possas	ponhas	prefiras	queiras
Que ele possa	ponha	prefira	queira
Que nós possamos	ponhamos	prefiramos	queiramos
Que vós possais	ponhais	prefirais	queirais
Que eles possam	ponham	prefiram	queiram

Pretérito imperfeito

Que eu pudesse	pusesse	preferisse	quisesse
Que tu pudesses	pusesses	preferisses	quisesses
Que ele pudesse	pusesse	preferisse	quisesse
Que nós pudéssemos	puséssemos	preferíssemos	quiséssemos
Que vós pudésseis	pusésseis	preferísseis	quisésseis
Que eles pudessem	pusessem	preferissem	quisessem

Futuro do presente

Quando eu puder	puser	preferir	quiser
Quando tu puderes	puseres	preferires	quiseres
Quando ele puder	puser	preferir	quiser
Quando nós pudermos	pusermos	preferirmos	quisermos
Quando vós puderdes	puserdes	preferirdes	quiserdes
Quando eles puderem	puserem	preferirem	quiserem

Modo Imperativo

Afirmativo

	põe (tu)	prefere	quere
	ponha (você)	prefira	queira
(não há)	ponhamos (nós)	prefiramos	queiramos
	ponde (vós)	preferi	querei
	ponham (vocês)	prefiram	queiram

Negativo

	não ponhas (tu)	não prefiras	não queiras
	não ponha (você)	não prefira	não queira
(não há)	não ponhamos (nós)	não prefiramos	não queiramos
	não ponhais (vós)	não prefirais	não queirais
	não ponham (vocês)	não prefiram	não queiram

Formas Nominais

Infinitivo impessoal

poder	pôr	preferir	querer

Infinitivo pessoal

poder eu	pôr	preferir	querer
poderes tu	pores	preferires	quereres
poder ele	pôr	preferir	querer
podermos nós	pormos	preferirmos	querermos
poderdes vós	pordes	preferirdes	quererdes
poderem eles	porem	preferirem	quererem

Gerúndio

podendo	pondo	preferindo	querendo

Particípio

podido	posto	preferido	querido

Conjugação dos verbos irregulares saber, sair, seguir e sentir

SABER	*SAIR*	*SEGUIR*	*SENTIR*

Modo Indicativo

Presente

Eu sei	saio	sigo	sinto
Tu sabes	sais	segues	sentes
Ele sabe	sai	segue	sente
Nós sabemos	saímos	seguimos	sentimos
Vós sabeis	saís	seguis	sentis
Eles sabem	saem	seguem	sentem

Pretérito imperfeito

Eu sabia	saía	seguia	sentia
Tu sabias	saías	seguias	sentias
Ele sabia	saía	seguia	sentia
Nós sabíamos	saíamos	seguíamos	sentíamos
Vós sabíeis	saíeis	seguíeis	sentíeis
Eles sabiam	saíam	seguiam	sentiam

Pretérito perfeito

Eu soube	saí	segui	senti
Tu soubeste	saíste	seguiste	sentiste
Ele soube	saiu	seguiu	sentiu
Nós soubemos	saímos	seguimos	sentimos
Vós soubestes	saístes	seguistes	sentistes
Eles souberam	saíram	seguiram	sentiram

Pretérito mais-que-perfeito

Eu soubera	saíra	seguira	sentira
Tu souberas	saíras	seguiras	sentiras
Ele soubera	saíra	seguira	sentira
Nós soubéramos	saíramos	seguíramos	sentíramos
Vós soubéreis	saíreis	seguíreis	sentíreis
Eles souberam	saíram	seguiram	sentiram

Futuro do presente

Eu saberei	sairei	seguirei	sentirei
Tu saberás	sairás	seguirás	sentirás
Ele saberá	sairá	seguirá	sentirá
Nós saberemos	sairemos	seguiremos	sentiremos
Vós sabereis	saireis	seguireis	sentireis
Eles saberão	sairão	seguirão	sentirão

Futuro do pretérito

Eu saberia	sairia	seguiria	sentiria
Tu saberias	sairias	seguirias	sentirias
Ele saberia	sairia	seguiria	sentiria
Nós saberíamos	sairíamos	seguiríamos	sentiríamos
Vós saberíeis	sairíeis	seguiríeis	sentiríeis
Eles saberiam	sairiam	seguiriam	sentiriam

Modo Subjuntivo

Presente

Que eu saiba	saia	siga	sinta
Que tu saibas	saias	sigas	sintas
Que ele saiba	saia	siga	sinta
Que nós saibamos	saiamos	sigamos	sintamos
Que vós saibais	saiais	sigais	sintais
Que eles saibam	saiam	sigam	sintam

Pretérito imperfeito

Que eu soubesse	saísse	seguisse	sentisse
Que tu soubesses	saísses	seguisses	sentisses
Que ele soubesse	saísse	seguisse	sentisse
Que nós soubéssemos	saíssemos	seguíssemos	sentíssemos
Que vós soubésseis	saísseis	seguísseis	sentísseis
Que eles soubessem	saíssem	seguissem	sentissem

Futuro do presente

Quando eu souber	sair	seguir	sentir
Quando tu souberes	saíres	seguires	sentires
Quando ele souber	sair	seguir	sentir
Quando nós soubermos	sairmos	seguirmos	sentirmos
Quando vós souberdes	sairdes	seguirdes	sentirdes
Quando eles souberem	saírem	seguirem	sentirem

Modo Imperativo

Afirmativo

sabe (tu)	sai	segue	sente
saiba (você)	saia	siga	sinta
saibamos (nós)	saiamos	sigamos	sintamos
sabei (vós)	saí	segui	senti
saibam (vocês)	saiam	sigam	sintam

Negativo

não saibas (tu)	não saias	não sigas	não sintas
não saiba (você)	não saia	não siga	não sinta
não saibamos (nós)	não saiamos	não sigamos	não sintamos
não saibais (vós)	não saiais	não sigais	não sintais
não saibam (vocês)	não saiam	não sigam	não sintam

Formas Nominais

Infinitivo impessoal

saber	sair	seguir	sentir

Infinitivo pessoal

saber eu	sair	seguir	sentir
saberes tu	saíres	seguires	sentires
saber ele	sair	seguir	sentir
sabermos nós	sairmos	seguirmos	sentirmos
saberdes vós	sairdes	seguirdes	sentirdes
saberem eles	saírem	seguirem	sentirem

Gerúndio

sabendo	saindo	seguindo	sentindo

Particípio

sabido	saído	seguido	sentido

Conjugação dos verbos irregulares servir, trazer, ver e vir

SERVIR	*TRAZER*	*VER*	*VIR*
Modo Indicativo			
Presente			
Eu sirvo	trago	vejo	venho
Tu serves	trazes	vês	vens
Ele serve	traz	vê	vem
Nós servimos	trazemos	vemos	vimos
Vós servis	trazeis	vêdes	vindes
Eles servem	trazem	vêem	vêm
Pretérito imperfeito			
Eu servia	trazia	via	vinha
Tu servias	trazias	vias	vinhas
Ele servia	trazia	via	vinha
Nós servíamos	trazíamos	víamos	vínhamos
Vós servíeis	trazíeis	víeis	vínheis
Eles serviam	traziam	viam	vinham
Pretérito perfeito			
Eu servi	trouxe	vi	vim
Tu serviste	trouxeste	viste	vieste
Ele serviu	trouxe	viu	veio
Nós servimos	trouxemos	vimos	viemos
Vós servistes	trouxestes	vistes	viestes
Eles serviram	trouxeram	viram	vieram
Pretérito mais-que-perfeito			
Eu servira	trouxera	vira	viera
Tu serviras	trouxeras	viras	vieras
Ele servira	trouxera	vira	viera
Nós servíramos	trouxéramos	víramos	viéramos
Vós servíreis	trouxéreis	víreis	viéreis
Eles serviram	trouxeram	viram	vieram
Futuro do presente			
Eu servirei	trarei	verei	virei
Tu servirás	trarás	verás	virás
Ele servirá	trará	verá	virá
Nós serviremos	traremos	veremos	viremos
Vós servireis	trareis	vereis	vireis
Eles servirão	trarão	verão	virão
Futuro do pretérito			
Eu serviria	traria	veria	viria
Tu servirias	trarias	verias	virias
Ele serviria	traria	veria	viria
Nós serviríamos	traríamos	veríamos	viríamos
Vós serviríeis	traríeis	veríeis	viríeis
Eles serviriam	trariam	veriam	viriam

Modo Subjuntivo

Presente

Que eu sirva	traga	veja	venha
Que tu sirvas	tragas	vejas	venhas
Que ele sirva	traga	veja	venha
Que nós sirvamos	tragamos	vejamos	venhamos
Que vós sirvais	tragais	vejais	venhais
Que eles sirvam	tragam	vejam	venham

Pretérito imperfeito

Que eu servisse	trouxesse	visse	viesse
Que tu servisses	trouxesses	visses	viesses
Que ele servisse	trouxesse	visse	viesse
Que nós servíssemos	trouxéssemos	víssemos	viéssemos
Que vós servísseis	trouxésseis	vísseis	viésseis
Que eles servissem	trouxessem	vissem	viessem

Futuro do presente

Quando eu servir	trouxer	vir	vier
Quando tu servires	trouxeres	vires	vieres
Quando ele servir	trouxer	vir	vier
Quando nós servirmos	trouxermos	virmos	viermos
Quando vós servirdes	trouxerdes	virdes	vierdes
Quando eles servirem	trouxerem	virem	vierem

Modo Imperativo

Afirmativo

serve (tu)	traze	vê	vem
sirva (você)	traga	veja	venha
sirvamos (nós)	tragamos	vejamos	venhamos
servi (vós)	trazei	vede	vinde
sirvam (vocês)	tragam	vejam	venham

Negativo

não sirvas (tu)	não tragas	não vejas	não venhas
não sirva (você)	não traga	não veja	não venha
não sirvamos (nós)	não tragamos	não vejamos	não venhamos
não sirvais (vós)	não tragais	não vejais	não venhais
não sirvam (vocês)	não tragam	não vejam	não venham

Formas Nominais

Infinitivo impessoal

sentir	trazer	ver	vir

Infinitivo pessoal

servir eu	trazer	ver	vir
servires tu	trazeres	veres	vires
servir ele	trazer	ver	vir
servirmos nós	trazermos	vermos	virmos
servirdes vós	trazerdes	verdes	virdes
servirem eles	trazerem	verem	virem

Gerúndio

servindo	trazendo	vendo	vindo

Particípio

servido	trazido	visto	vindo

Índice de palavras

As principais palavras que aparecem no livro estão listadas a seguir.
Em geral, os números indicam a página em que a palavra aparece pela primeira vez.

A

B

C

D

E

F

J

L

M

P

Q

R

S

T

U

V

X

Z

O Brasil dentro da América Latina